Cinzia Cordera Alberti

Chiaro!
corso di italiano

Esercizi supplementari

A2

ALMA Edizioni

Accedi gratuitamente all'**area web** di ***Chiaro!*** con test, esercizi interattivi, glossari, attività extra, giochi e molto altro ancora.

Chiaro! A2, Esercizi supplementari

Autrice: Cinzia Cordera Alberti

Redazione: Carlo Guastalla, Euridice Orlandino, Chiara Sandri, Valerio Vial

Progetto copertina: Lucia Cesarone

Illustrazioni interne: Virginia Azañedo

Progetto grafico: Sieveking print & digital

Impaginazione: Andrea Caponecchia

Stampa: la Cittadina s.r.l. - Gianico (BS)

Printed in Italy
ISBN 978-88-6182-235-1

Ultima ristampa: luglio 2014

ALMA Edizioni
Viale dei Cadorna, 44
50129 Firenze
Tel. +39 055 476644
Fax +39 055 473531
alma@almaedizioni.it
www.almaedizioni.it

Introduzione

Questo volume di esercizi supplementari si rivolge a tutti gli studenti che utilizzano e desiderano praticare i contenuti del corso di italiano ***Chiaro! A2***.

Le 10 lezioni qui presentate seguono di pari passo la progressione di quelle del manuale. Scopo del volume è consolidare le strutture, le abilità comunicative e il lessico appresi nel corso della corrispondente lezione di ***Chiaro! A2*** attraverso una gamma di esercizi ampia e diversificata.

In ogni lezione gli studenti troveranno, nella sezione *Conosci l'Italia?*, brevi test a scelta multipla sui testi scritti presenti nelle corrispondenti unità: potranno così continuare a esercitare la comprensione scritta e verificare allo stesso tempo le conoscenze acquisite circa la cultura, la geografia e la storia italiana.

Grazie al CD allegato, che contiene una selezione dei dialoghi presenti in ***Chiaro! A2***, gli studenti avranno modo di sviluppare ulteriormente l'abilità di comprensione e produzione orale e la pronuncia. Le attività relative ai dialoghi si trovano nella sezione *Ancora più ascolto*. Per indicazioni dettagliate su come utilizzare in modo proficuo i brani audio, si consiglia la lettura di *Ancora più ascolto - Istruzioni per l'uso* alla pagina seguente.

Gli esercizi supplementari sono pensati soprattutto per il lavoro individuale a casa. Le soluzioni sono riportate in appendice.

Si consiglia di lavorare sugli esercizi di una data lezione solo dopo aver svolto quelli della corrispondente lezione del manuale. Se alcune attività dovessero risultare particolarmente difficili, invitiamo gli studenti a rivedere l'argomento grammaticale o lessicale problematico in ***Chiaro! A2***.

Buon lavoro,

l'autrice e l'editore

Ancora più ascolto - Istruzioni per l'uso

Questa sezione contiene attività che vertono sulla comprensione orale, la produzione scritta e la pronuncia. Per poterle svolgere è necessario il CD audio allegato al presente volume.

La fascetta CD ▸ 01 indica il numero della traccia audio da ascoltare per poter svolgere l'attività (la prima, nell'esempio).

Le attività di questa sezione sono strutturate in due parti:

Fase 1

- Gli studenti svolgono un compito scritto durante l'ascolto (ripetuto) del dialogo segnalato: completamento di un testo, riordino delle battute, ecc. Si consiglia di ascoltare il brano finché lo si ritiene necessario, fino a completo svolgimento dell'attività.
- Verificano la correttezza delle risposte fornite grazie alle soluzioni presenti in appendice.

Fase 2

- Gli studenti sono invitati a pronunciare tutte o parte delle battute che compongono il dialogo.
- Ripetono l'attività fino a padroneggiare il testo orale.

Indice

L'italiano è bello!

1 *Completa il cruciverba con il nome degli oggetti raffigurati nelle immagini.*

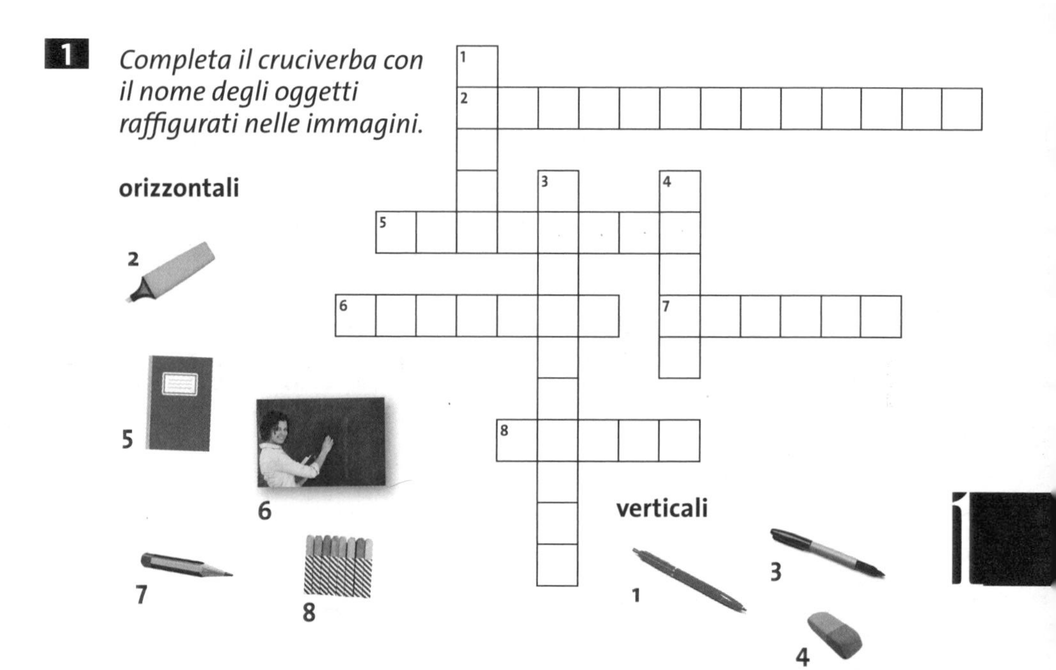

2 *Associa le domande alle risposte corrispondenti.*

1 Da quanto tempo studi l'italiano?	**a** Per niente! Li devo ripetere 100 volte!
2 Che tipo di corso hai frequentato?	**b** Sì, devo andare spesso in Italia.
3 Per te è facile ricordare i vocaboli?	**c** Individuale, in una scuola privata.
4 Ti piace lavorare in gruppo?	**d** Preferisco conversare con una sola persona.
5 Ti interessa la grammatica?	**e** Ho cominciato il corso un anno fa.
6 Studi l'italiano per lavoro?	**f** Non molto, ma mi piace ascoltare i dialoghi.

3 *Trova in ogni lista la parola o l'espressione che non può essere associata al verbo.*

1 lavorare: in gruppo – a coppie – individualmente – esercizi e giochi
2 leggere: testi – dialoghi – grammatica – frasi
3 parlare: con un compagno – l'italiano – il lessico – all'insegnante
4 ascoltare: il CD – la conversazione – la presentazione – la statistica

4 *Associa le attività agli orari corrispondenti, come negli esempi. Poi completa il testo sotto con alcune espressioni della lista e con le preposizioni e i verbi appropriati.*

spettacolo della sera | pranzo | tempo libero | ~~colazione~~
corso di italiano | ~~sport e giochi~~ | cena | bagno in piscina | doccia

Una giornata alla scuola di italiano per ragazzi "L'avventura":

8:00 ______
8:30 colazione
9:30 ______
12:30 ______
13:30 ______
15:00 sport e giochi
17:30 ______
19:30 ______
21:00 ______

______ 8:00 la giornata comincia con ___ ______. Poi i ragazzi ______ colazione. ______ 9:30 ______ 12:30 tutti frequentano ___ ______ ___ ______. ___ mezzogiorno e mezzo c'è ___ ______ e nel pomeriggio dalle 13:30 alle 15:00 i ragazzi hanno del tempo libero. ______ 15:00 si ______ sport e si gioca. Segue il bagno in piscina e ______ la cena tutti ______ a vedere lo spettacolo.

5 *Riordina le parole e forma delle frasi corrette, come nell'esempio. Coniuga i verbi al passato prossimo.*

Per me l'esperienza più bella del corso di italiano è stata trascorrere un fine settimana a Trieste con i miei compagni di corso.

1 prima (noi) leggere informazioni città

Prima abbiamo letto delle informazioni sulla città.

2 poi (noi) scrivere prenotazione albergo

____

3 (noi) andare Trieste treno

____

4 (noi) visitare centro

____

5 (noi) bere aperitivo Piazza Unità

____

6 (noi) vedere Cattedrale di San Giusto Castello di Miramare

____

7 fine settimana (a me) piacere moltissimo

____

6 *Guarda la tabella al punto **5c** a pagina 11 di **Chiaro! A2** e rispondi alle domande.*

1 A che posto è "bravo" nella classifica delle parole italiane più conosciute in Europa? – Al ______________________.

2 E "gondola"? – ______________________.

3 Quali parole sono al quinto posto? – ______________________.

4 Al ______________________ posto c'è la parola "pizza".

7 *Completa il testo con le espressioni della lista.*

mi | diverse | pacchetto | la | a me | frequento
ogni | vicino a | sono | in | il | della

________ un corso di italiano ________ Campania, ________ Pompei. È un corso speciale, inserito in un ________ turistico. Abbiamo lezione ________ giorno ________ mattina, in gruppi piccoli di 6 persone. ________ pomeriggio la scuola organizza ________ attività. Possiamo visitare città, provare a cucinare ricette della cucina locale o fare un corso di ceramica. ________ cucinare non piace, ma ________ interessa molto la cultura, soprattutto l'archeologia. ________ già stato tre volte a Pompei, ho visitato le rovine e ho imparato molto sulla storia ________ città.

8 *Associa gli elementi delle caselle e completa le frasi come nell'esempio. Sono possibili diverse soluzioni.*

il monumento	grande
il cibo	conosciuto
la bevanda	famoso
la città	venduto
il prodotto	bevuto
~~il vino~~	noto

1 Il Chianti è il vino più venduto/bevuto.
2 La pizza e gli spaghetti sono ________________.
3 Firenze, Roma e Venezia sono ________________.
4 La Vespa è ________________.
5 Il caffè e il cappuccino sono ________________.
6 A Roma il Colosseo è ________________.

9 *Completa le frasi con "piace", "piacciono", "interessa" o "interessano" (sono possibili diverse soluzioni). Sostituisci l'oggetto indiretto con il pronome atono corrispondente, come nell'esempio.*

1 A Elisabetta piacciono gli sport individuali.
Le piacciono gli sport individuali.

2 A Daniele ______________ la politica.
____

3 Questo film a me non ______________ per niente, e a te?
____

4 Signora Terenzi, a Lei ______________ le lingue?
____

5 A Luciano e Manuela non ______________ il concerto, possiamo andare a vedere un film insieme.
____

6 Ragazzi, il gelato a voi ______________ con o senza panna?
____

CONOSCI L'ITALIA?

10 *Segna la risposta corretta.*

1 L'italiano è la lingua ufficiale
a a San Marino.
b in tutta la Croazia.
c a Malta.

2 In Albania molte persone capiscono l'italiano
a grazie alla somiglianza con l'albanese.
b perché ascoltano la radio italiana.
c perché l'italiano si impara a scuola.

3 Esistono importanti comunità italiane
a in Cina.
b in Sudamerica.
c in Svezia.

ANCORA PIÙ ASCOLTO

CD ▶ 01 **11** **a** *Ascolta più volte e completa il dialogo. Attenzione: a ogni riga vuota corrisponde più di una parola.*

● Senti, per te qual è _______________?

◆ Mah, non saprei... In che senso, scusa? Intendi per il suono o per il significato?

● Mah, scegli tu, _______________: per il suono o per il significato. _______________.

◆ Ma non è facile! Poi così su due piedi...

● Beh, ma prova, dai! Per esempio?

◆ Mah, per esempio forse "armonia". Sì, ecco, "armonia" _______________. Non so se... se è proprio _______________, però... sì, mi piace. Per il suono, mi piace per il suono questa parola. Ma... Senti, ma _______________? Ma come ti è venuta in mente?

● Eh, perché _______________ un articolo che parla di un _______________ sulla lingua italiana, anzi sugli italiani e la loro lingua. E fra le altre cose, _______________ anche, secondo loro, qual è _______________ della lingua italiana.

CD ▶ 02 **b** *Riascolta attentamente il dialogo e ripeti le frasi. Concentrati sull'intonazione.*

Viaggiare in treno

1 *Completa le frasi con le parole della lista. Forma la preposizione articolata se necessario. Sono possibili diverse soluzioni.*

il binario | il tabellone dell'orario | la biglietteria | il ~~marciapiede~~
la scala | lo sportello informazioni | il sottopassaggio

1 Le panchine sono su l marciapiede.
2 Le toilette sono a sinistra de____ ____________,
vicino a____ ____________.
3 La sala d'attesa è a destra de____ ____________.
4 Davanti all'orologio c'è ____________.
5 Di fronte alla sala d'attesa c'è ____________.
6 Il treno è a____ ____________ 1.

2 *Unisci le parti di destra e sinistra e forma delle frasi.*

1 Per arrivare a Roma con il treno delle 12:05
2 Il treno delle 16:15 per Palermo
3 Il biglietto di prima classe
4 Per andare a Pistoia con il treno delle 8:35
5 Quando parte
6 Quanto ci vuole

a costa 17 euro.
b per andare a Napoli con il Frecciarossa?
c è necessario cambiare a Firenze.
d il prossimo treno per Milano?
e parte dal binario 13.
f ci vogliono 2 ore e mezzo.

3 *Completa le frasi con "ci vuole", "ci vogliono" o "bisogna".*

1 Per andare da Trento a Ravenna con il treno delle 15:10 ______________ cambiare a Bologna.

2 ______________ molto per arrivare ad Ancona?

3 Per il biglietto di prima classe ______________ 23 euro.

4 Il prossimo treno per Napoli è alle 16:00: ______________ aspettare 45 minuti.

5 Per andare a Reggio Calabria con l'Intercity ______________ 2 ore.

6 Quanto ______________ per andare a Bari?

4 *Un viaggiatore ha bisogno di alcune informazioni: formula le sue domande con i dati della colonna sinistra. Poi scrivi le risposte utilizzando i dati della colonna destra. Puoi fare riferimento alla tabella del punto **3** di pagina 123 di **Chiaro! A2**.*

1	Intercity – Viareggio – 11:38	binario 4
2	da La Spezia a Viareggio – regionale – 9:12	51 minuti
3	biglietto – Viareggio	1ª classe 8 € 2ª classe 6,50 €
4	Intercity – Viareggio – tra le 11 e le 12	11:38

1 ______________________________

____

2 ______________________________

____

3 ______________________________

____

4 ______________________________

____

5 *Forma dei verbi al condizionale presente con le parti di parole. Poi associali agli infiniti della lista*

verebbero niremmo dereste sti par derei veremmo scen finire par fi tirebbe arri tire sti scen arri

1 arrivare ____________ ____________

2 scendere ____________ ____________

3 finire ____________ ____________

4 partire ____________ ____________

6 *Completa il cruciverba con i verbi tra parentesi al condizionale presente.*

orizzontali

2 Luca, Sonia, mi *(dare)* .... un'idea di un posto carino per una gita?
5 Carlo, *(potere)* .... venire a Verbania con me domenica!
7 Chiara *(volere)* .... fare una passeggiata in montagna.
8 *(Andare, io)* .... volentieri in vacanza a Capri.

verticali

1 Sara, tu *(fare)* .... il viaggio in macchina o in treno?
3 Forse *(venire)* .... anche Fabio e Luisa al mare con noi.
4 *(Dovere, tu)* .... vedere il Lago Maggiore: è veramente bello!
6 *(Essere)* .... interessante scoprire la regione in bicicletta.

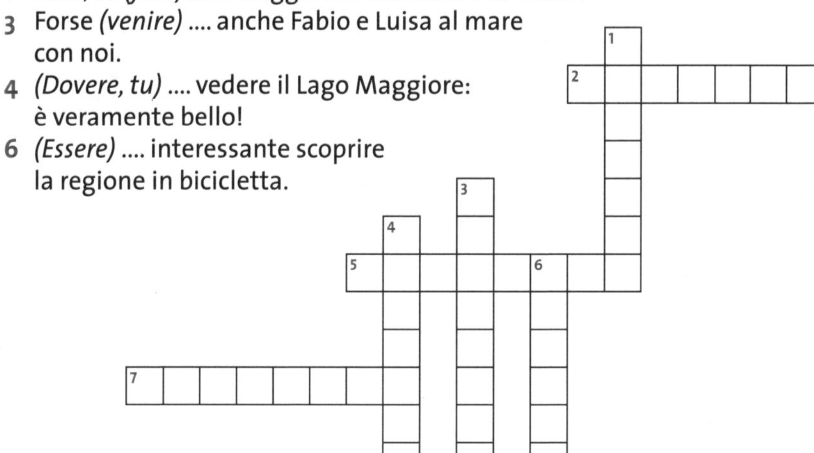

7 *Rispondi alle domande.*

1 Quali delle frasi dell'esercizio **6** esprimono un desiderio? ____________

2 In quali si dà un consiglio? ____________

3 In quali si chiede un consiglio? ____________

4 In quali si fa un'ipotesi o si esprime una possibilità? ____________

8 **a** *Formula alcuni consigli per un gita con gli elementi della lista, come nell'esempio.*

fino a Stresa | Lago Maggiore
battello | Locarno
attraversare Centovalli
visitare Domodossola
tornare a Stresa in treno

Io andrei in macchina fino...
____
____
____

b *Descrivi il tipo di vacanza che vorrebbe fare Silvia con gli elementi della lista, come nell'esempio.*

treno | amiche
girare l'Italia e dormire in albergo
vedere qualche città d'arte
fare passeggiate nella natura

Silvia farebbe un viaggio in treno...
____
____
____

9 *Leggi il testo a pagina 23 di* ***Chiaro! A2*** *e segna la/le risposta/e corretta/e.*

1 Il "Trenino Rosso"
  a è un mezzo di trasporto veloce.
  b viaggia tra Italia e Svizzera.
  c fa il giro della Valtellina.

2 Il "Trenino Rosso"
  a viaggia solo di notte.
  b attraversa le Alpi.
  c esiste da più di cento anni.

3 Sul "Trenino Rosso"
  a si può guardare il panorama.
  b si può andare a teatro.
  c si possono ascoltare delle storie.

10 *Completa le frasi con il partitivo plurale o l'aggettivo "qualche".*

1 Mi dai __________ idee per un regalo?

2 Vi consiglio __________ gite in battello sul lago.

3 Potremmo prenotare __________ biglietti per l'opera.

4 Ho comprato __________ zucchine e __________ banana.

5 Vuoi __________ consiglio per l'escursione?

6 Quanto ci vuole per andare a Padova in macchina? – __________ ora.

11 *Scrivi il contrario di ogni aggettivo, poi forma l'avverbio corrispondente.*

1 lento __________ __________

2 scomodo __________ __________

3 basso __________ __________

4 difficile __________ __________

5 irregolare __________ __________

6 impersonale __________ __________

CONOSCI L'ITALIA?

12 *Vero o falso? Segna le risposte corrette.*

	vero	falso
1 Per timbrare il biglietto si va allo sportello informazioni.	☐	☐
2 In una carrozza cuccette si può dormire.	☐	☐
3 Si possono trasportare biciclette su tutti i treni.	☐	☐
4 Il Frecciarossa è un treno veloce.	☐	☐

ANCORA PIÙ ASCOLTO

CD▶03 **13** a *Ascolta più volte e completa il dialogo con le domande mancanti.*

1 ▷ ____?

■ Il prossimo? Dunque, alle... 11:37 dal binario 8.

▷ Grazie.

■ Prego.

2 ■ Prego, signora.

▶ ____?

■ Dal binario 6.

▶ Va bene, grazie.

3 ■ Buongiorno, mi dica.

◆ ____?

■ Con il Frecciarossa... ci vogliono 3 ore e 16 minuti.

◆ ____?

■ 63 euro e 70.

◆ Va bene. Grazie.

■ Prego.

CD▶04 b *Riascolta il dialogo e pronuncia le battute mancanti dei viaggiatori. Ripeti l'attività alcune volte.*

Epoche e mode

1 *Completa il cruciverba con le parole mancanti.*

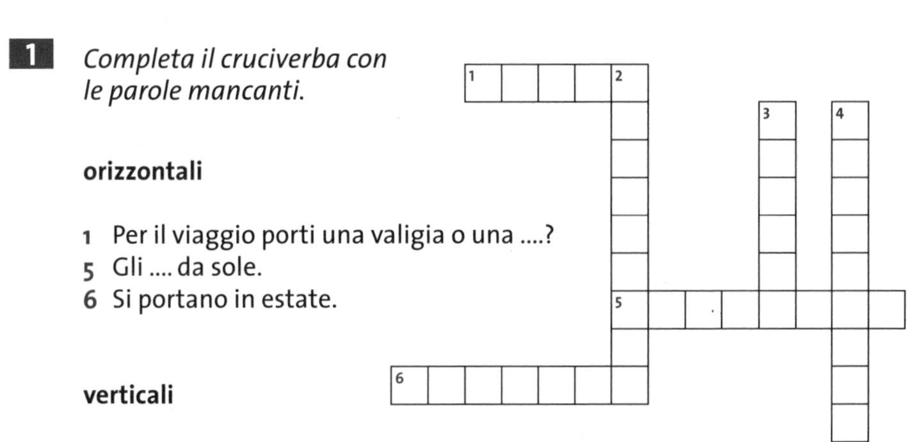

orizzontali

1 Per il viaggio porti una valigia o una ....?
5 Gli .... da sole.
6 Si portano in estate.

verticali

2 La sciarpa e il cappello sono ..... .
3 Quando fa freddo e nevica porto i ..... .
4 Si portano con la cintura.

2 *Quali capi di abbigliamento e quali accessori consiglieresti alle due persone sotto? Formula dei suggerimenti come nell'esempio. Sono possibili diverse soluzioni.*

Alla donna consiglierei la gonna, ____

____

____

____

3 *Cerca l'intruso.*

1 scuro – chiaro – pastello – forte – tranquillo
2 veloce – lungo – stretto – largo – corto
3 a disegni geometrici – con piccoli fiori – a zampa d'elefante – con motivi a forma di cerchio – con grandi gocce
4 sciarpa – cappello – maglione – borsa – cravatta

4 *Completa lo schema con le forme verbali mancanti all'imperfetto.*

fare: facevo; ______; ______; ______; facevate; ______

essere: ______; ______; era; eravamo; ______; ______

5 *Martin è uno studente che, anni fa, ha partecipato al programma "Erasmus" in Italia. Ecco come descriveva la sua esperienza. Come ne parleresti tu oggi? Trasforma le frasi coniugando i verbi all'imperfetto.*

1 Vivo con altri studenti: un olandese, un irlandese e uno spagnolo.
Martin viveva...
2 Abito vicino all'università e per andare a lezione faccio tutti i giorni una passeggiata. ______
3 Il pomeriggio studio, leggo libri in italiano, guardo la TV e sento la radio. ______
4 Sono batterista in una band di studenti e mi piace suonare pezzi lenti e veloci. ______
5 Conosco studenti di tutto il mondo e vivo in un'atmosfera internazionale. ______

6 *Leggi il testo a pagina 29 di **Chiaro! A2** e segna la/le frase/i corretta/e.*

1 A Dario
a piaceva fare sport.
b non piaceva ballare.
c piaceva suonare il pianoforte.

2 In discoteca
a le band suonavano diversi tipi di musica.
b tutto era americano.
c c'erano più di 1 000 persone.

3 Dario
a negli anni '70 viveva a Milano.
b aveva più di 20 anni.
c andava in discoteca tutti i giorni.

7 *Negli anni '70... Completa i tre messaggi con i verbi delle liste all'imperfetto.*

1 avere, sentire, portare, ascoltare, venire

2 vedere, portare, sperimentare

3 potere, essere, dovere

1 ChiccaS.

(Noi) ____________ musica americana o inglese, per essere alla moda. I miei amici ____________ a casa mia, perché (io) ____________ il giradischi più bello, e (loro) ____________ i loro 45 giri. (Noi) li ____________ per ore.

2 Tonirock

La moda ____________ molte cose nuove, non tutte belle, però! Si ____________ degli abiti di colori forti e contrastanti e tutti ____________ gli occhiali verdi a goccia.

3 DottABC

Sì, il tema ____________ uno solo: colore! Si ____________ portare un miniabito bianco ma si ____________ avere almeno un accessorio, un foulard, una sciarpa, a disegni geometrici o a fiori.

8 *Forma delle frasi con il verbo all'imperfetto e le parole della lista, come nell'esempio.*

~~con la 500~~ | in cabina a telefonare | le ricerche in biblioteca
con l'autostop | stivali molto lunghi

1 Si viaggiava con la 500.
2 ______________________
3 ______________________
4 ______________________
5 ______________________

9 *Forma delle frasi con un elemento di ogni casella, come nell'esempio.*

cappotto cappello gonna t-shirt scarpe	caldo moderno formale sportivo informale	giacca berretto pantaloni camicetta sandali	elegante pratico comodo bello moderno

1 Il cappotto è caldo, ma la giacca è più elegante.
2 ______________________
3 ______________________
4 ______________________
5 ______________________

10 *Completa il testo con verbi all'imperfetto.*

Da bambina (io) __________ in una città sul mare e ogni anno ad agosto (io) __________ in vacanza in montagna con la mia famiglia. (Noi) __________ 5 persone: i miei genitori, mia sorella, mia nonna e io. (Noi) __________ una macchina piccola, sempre piena di valigie. (Noi) __________ la mattina presto, perché per il viaggio ci __________ almeno 3 ore. Il paese non __________ lontano, si __________ a 80 km, ma non __________ un'autostrada e la macchina __________ molto lentamente.

Quando (noi) __________ in montagna mia nonna e mio padre si __________, la mamma __________ in ordine la casa e mia sorella e io __________ a giocare in strada con gli amici.

3

CONOSCI L'ITALIA?

11 *Vero o falso? Segna le risposte corrette.*

	vero	falso
1 Negli anni '70 i giovani "alternativi" portavano l'eskimo, un cappotto in tessuto verde militare.	☐	☐
2 "Bikini", "minigonna", "nylon" e "t-shirt" sono tra le dieci parole che hanno fatto la moda del secolo scorso in Italia.	☐	☐
3 In Italia negli anni '70 le ragazze portavano foulard e orecchini a forma di goccia.	☐	☐
4 Le discoteche sono nate negli anni '80.	☐	☐

ANCORA PIÙ ASCOLTO

CD ▶ 05 **12**

a *Ascolta più volte e completa il dialogo con le preposizioni mancanti.*

● Davide, guarda che cosa ho trovato ________ casa ________ mia nonna! È la foto ________ classe ________ mio padre ________ liceo!

◆ Ma dov'erano?

● Eh, facevano una gita ________ Sicilia. Era l'ultimo anno ________ scuola. Mio padre, vedi, è questo ragazzo magro, quello ________ i capelli lunghi e gli occhiali ________ goccia.

◆ Ma no, Marco, non è possibile! Com'è vestito? Tuo padre ________ i pantaloni ________ zampa ________'elefante! Che tempi!

● Eh sì, eh! Li portava sempre ________ delle camicie strette ________ disegni geometrici... Guarda! C'è anche tua madre ________ foto.

◆ Ah, è vero! È quella ________ sinistra. Camicetta ________ fiori e minigonna. E ________ lei... la sua amica più cara, Camilla.

● Ma... è una chitarra!

◆ ________ mia madre era come una sorella.

CD ▶ 06

b *Riascolta il dialogo e pronuncia le battute mancanti di Davide. Ripeti l'attività alcune volte.*

Il ritmo della vita

1 *Descrivi cosa succede nei disegni coniugando i verbi al passato prossimo o all'imperfetto.*

1 ascoltare – musica – non sentire – annuncio

Paola ______________________________

____

2 fuori – piovere – uscire – impermeabile

______________________________ e io

____

3 scrivere un SMS – non guardare tabellone – salire – treno sbagliato

Paola ______________________________

______________________________ ed[1]

____

4 dormire – a un certo punto – sognare – andare in barca a vela

Luca ______________________________

____

1 la congiunzione *ed* si usa al posto di *e* quando la parola che segue inizia con una vocale

2 *Completa il dialogo con i verbi della lista.*

ha dimenticato | ha preso | era (2) | è andata (2)
è successo | aveva (2) | è partita | è arrivata

- ● Ma che cosa ____________ a Beatrice? Perché non ____________ al concerto ieri sera?
- ◆ Sì, ci ____________, questa volta ____________ addirittura in anticipo! Alle 18:00 ____________ da casa e alle 19:00 ____________ già al parcheggio davanti al teatro.
- ● E allora?
- ◆ Non ____________ il biglietto!
- ● Non è possibile! Non l'____________ in borsa?
- ◆ ____________ la borsa a casa! ____________ un taxi per tornare a prendere il biglietto, ma ____________ al concerto in ritardo!

3 *Coniuga i verbi tra parentesi al passato prossimo o all'imperfetto. Poi ordina le frasi, come nell'esempio.*

- ☐ Umbria Jazz *(iniziare)* ____________ nell'estate del 1973, come festival musicale gratuito.
- ☐ La prima edizione *(essere)* ____________ un successo.
- 1 Carlo Pagnotta, di Perugia, *(avere)* ____________ la passione del jazz e *(sognare)* ____________ un festival tutto umbro.
- ☐ L'idea *(nascere)* ____________ in un caffè nel centro storico di Perugia.
- ☐ Ogni anno *(aumentare)* ____________ il pubblico.
- ☐ Nell'82, dopo tre anni di interruzione, il festival *(rinascere)* __________, con una formula diversa: il biglietto si *(pagare)* __________.

4 *Una persona chiede alcune informazioni alla biglietteria di un teatro: formula le sue domande con i dati della colonna sinistra. Poi scrivi le risposte utilizzando i dati della colonna destra.*

1 4 biglietti – "La Traviata"	quando
2 22 maggio – costo	45 euro, 68 euro, 92 euro
3 68 euro – carta di credito?	sì – tipo e numero carta
4 Visa – numero .... – inizio spettacolo?	ore 21 – ore 20:00 apertura teatro

1 ______________________________

____

2 ______________________________

____

3 ______________________________

____

4 ______________________________

____

5 *Leggi il testo a pagina 41 di* ***Chiaro! A2*** *e segna la/le risposta/e corretta/e.*

1 Giorgio Ardrizzi
   a è vissuto a Torino.
   b ha visitato la Patagonia 10 anni fa.
   c sa suonare il pianoforte.

2 Giorgio Ardrizzi
   a ha lavorato con suo padre.
   b ha suonato in un'orchestra.
   c ha fatto viaggi per mare.

3 Il padre di Giorgio
   a aveva un negozio di lampadari.
   b amava il jazz.
   c faceva il cacciatore.

6 *Completa il cruciverba con il nome degli strumenti musicali.*

orizzontali

2 Si usano anche per mangiare.
6 Fag _ _ _ _ _.
7 Uno strumento con tre vocali e una consonante.

verticali

1 

3 Una grande tromba.
4 Una piccola viola.
5 Che strumento suona il ragazzo a destra?

7 *Trasforma il testo al passato coniugando i verbi all'imperfetto o al passato prossimo.*

Marina: "Il mio sogno è diventare ballerina di danza moderna e studio balletto in una scuola. Da gennaio inizio a ballare in un gruppo teatrale. Qualche volta non ho voglia di fare esercizi e allora penso alla mia maestra. Lei mi dice sempre: 'Almeno un'ora al giorno, tutti i giorni!'".

Marina: «Da bambina il mio sogno era...
____
A gennaio del 1989...
____
____

8 *Unisci le parti di destra e sinistra e forma delle frasi.*

1 La musica è sempre
2 Fino al diploma il conservatorio
3 Ho imparato che cosa vuol dire davvero suonare
4 Da ragazza insegnavo canto
5 Avevo due genitori
6 Amavo il rock,

a solo con la band dei miei amici.
b era la mia seconda casa.
c a un gruppo di bambini.
d con la passione per la musica.
e ma ho ricevuto un'educazione musicale classica.
f stata un'amica per me.

9 *Completa lo schema associando le parole della lista ai verbi, come negli esempi. Se necessario, aggiungi articoli e preposizioni.*

strumento | ~~orchestra~~ | memoria | conservatorio
concorso | coro | ~~pezzo musicale~~

in un'orchestra ______

entrare

______

______

______

______

studiare

______

un pezzo musicale ______

______

10 *Formula un domanda (informale) appropriata per ogni risposta. Sono possibili diverse soluzioni.*

1 ____?

Mi piace soprattutto il jazz, ma ascolto anche musica leggera.

2 ____?

Ho imparato con mio fratello più grande.

3 ____?

Suono il sassofono da 10 anni, ma prima suonavo il flauto.

4 ____?

No, ma mia madre cantava volentieri canzoni popolari.

5 ____?

Perché tutta la mia famiglia amava la musica.

6 ____?

Non suono spesso perché ho poco tempo.

4

CONOSCI L'ITALIA?

11 *Vero o falso? Segna la risposta corretta.*

		vero	falso
1	Il Maggio Musicale Fiorentino è un festival di musica leggera.	☐	☐
2	Il Festival Puccini si svolge a Torre del Lago.	☐	☐
3	Il melodramma in Italia è nato nel '700.	☐	☐
4	I concerti sono l'intrattenimento preferito dagli italiani.	☐	☐

ANCORA PIÙ ASCOLTO

CD▶07 **12**

a *Ascolta più volte e completa il dialogo con le frasi mancanti.*

● ______________________________

____

◆ No, ancora no.

● ______________________________

____

◆ E perché non dovrei?

● ______________________________

◆ No, stavolta no. C'era un sacco di traffico, però sono uscito di casa in tempo, ho preso un taxi per non dover cercare un parcheggio, sono arrivato addirittura in anticipo e sono già al binario.

● ______________________________

____

____

4

CD▶08

b *Riascolta attentamente il dialogo e ripeti le frasi. Concentrati sull'intonazione.*

Cibo come cultura

1 *Coniuga i verbi tra parentesi al passato prossimo. Poi ordina le frasi, come nell'esempio.*

- [1] Quest'anno *(mettersi d'accordo, noi)* ________________ e a Pasquetta *(organizzare, noi)* ________________ un picnic.
- ☐ Sandra e Federico *(scegliere)* ________________ il posto, fuori porta, un po' in collina; poi *(trovarsi, noi)* ________________ per fare la spesa e *(divertirsi, noi)* ________________ a cucinare insieme.
- ☐ *(Camminare, noi)* ________________ per circa tre ore. Alle 11 *(arrivare, noi)* ________________ e *(riposarsi, noi)* ________________.
- ☐ Verso le 12 *(aprire, noi)* ________________ gli zaini e *(cominciare, noi)* ________________ il vero picnic.
- ☐ *(Incontrarsi, noi)* ________________ 4 volte per decidere dove andare e cosa fare.
- ☐ Paolo *(lamentarsi)* ________________, perché era stanco, ma io *(divertirsi)* ________________ come un bambino.
- ☐ Dopo pranzo *(fare, noi)* ________________ il tradizionale sonnellino, poi *(dividersi, noi)* ________________ in 2 squadre e *(giocare, noi)* ________________ a calcio.
- ☐ Il giorno di Pasquetta *(incontrarsi, noi)* ________________ alle 8 e *(salire, noi)* ________________ in collina con gli zaini pieni di tutto.

5

2 *Scegli uno degli aggettivi e formula una frase equivalente usando le espressioni "mi diverto" o "mi annoio", come nell'esempio. Poi aggiungi due esempi per entrambe le espressioni.*

1 Giocare a carte è ~~noioso~~/divertente.

Mi diverto quando gioco a carte.

2 Fare un'escursione in montagna è noioso/divertente.

____

3 Visitare musei d'arte moderna è noioso/divertente.

____

4 Guardare la TV è noioso/divertente.

____

5 _______________

6 _______________

3 *Ordina le parole e forma delle frasi.*

1 Il è che semplice si dolce mangia a ciambellone colazione un

____

2 carne piatto Le un che la si fa con la sono e lasagne pasta

____

3 il Il sono che bevono calde, e cappuccino si macchiato bevande latte

____

4 spuntini si bar I degli sono che tramezzini ordinano al

____

5 il si sono I trifolati un che prepara funghi con prezzemolo contorno

____

4 *Cerca l'intruso in ogni lista. Poi trova la categoria delle restanti parole.*

1 di prosciutto – di manzo – di vitello – di maiale – di pollo

____

2 basilico – rosmarino – zafferano – prezzemolo – melanzana

____

3 alla griglia – al forno – al vino – in casseruola – in padella

____

4 pomodori – olio – bottiglia – cipolla – sale

____

5 *Completa il cruciverba con i verbi corrispondenti alle azioni raffigurate.*

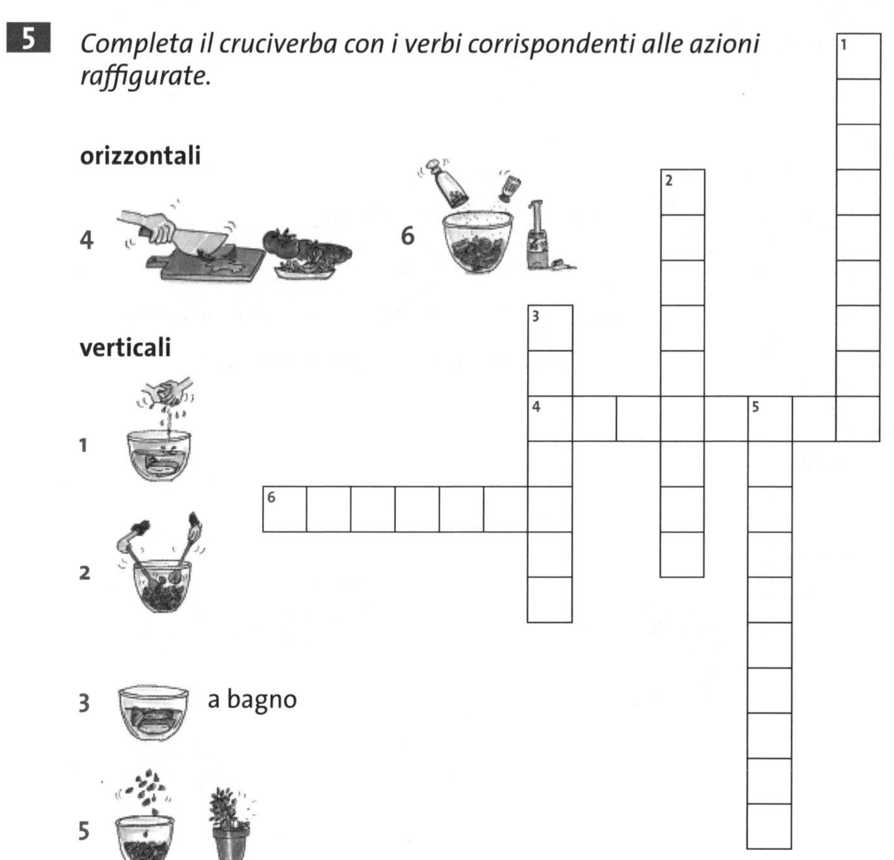

5

6 *Completa la ricetta per un'insalata mista con le parole o le lettere mancanti.*

Ingredienti (per 4 persone):

1 cespo di ins _ _ _ _ _ _

1 peperone g _ _ _ _ _ _

1 peperone verde

2 _ _ _ _ _ _ _ _ _ _ _

1 _ _ _ _ _ _ _ _ _ _ _ _ _ _ di tonno

1 _ _ _ _ _ _ _ _ _ _

sale

pepe

olio extravergine d'_ _ _ _ _ _

Procedimento:

Mettere a ________ l'ins________ta. Tagliare a ________ i ________ dori, la c________ e i peperoni. Mettere le v________re affettate in un'in________ra. Agg__________ il tonno. Condire il tutto con ________ e ________ in abbondanza. Aggiungere da ul________ il pepe.

Buon ________!

7 *Completa l'e-mail di Claudia con il superlativo assoluto degli aggettivi e dell'avverbio della lista.*

elegante | molto | ricco | gentile | bello | comodo
conveniente | particolare | buono

Cara Federica,

ieri è stata una serata __________! Davide e io siamo andati in un ristorantino __________ e __________. I camerieri erano __________, il menu__________ e i vini __________. Il prezzo non era __________, ma il locale mi è piaciuto __________... e poi la posizione è __________: è nel centro storico, ma ha un parcheggio privato.
Te lo consiglio! Vuoi il numero di telefono?
Adesso devo lavorare un po'!
Ciao, a presto
Claudia

5

8 *Leggi il testo a pagina 56 di* ***Chiaro! A2*** *e segna la/le risposta/e corretta/e.*

1 In Italia
- **a** le abitudini alimentari non sono cambiate.
- **b** il cibo occupa un posto importante nella vita delle persone.
- **c** il "pranzo della domenica" è una tradizione.

2 Gli italiani
- **a** rimangono a tavola almeno un'ora al giorno.
- **b** hanno imparato dalla nonna a capire se il cibo è fresco.
- **c** vanno meno al ristorante.

3 I sondaggi dicono che
- **a** il 25 per cento degli italiani non usa il telefonino a tavola.
- **b** il 70 per cento degli italiani non guarda la TV.
- **c** il 65 per cento usa solo uova fresche.

9 *Unisci le parti di destra e sinistra e forma delle frasi.*

1 Ho assaggiato	a un posto importante nella vita degli italiani.
2 Gli italiani hanno mantenuto	b una pietanza nuova a casa di Luisa.
3 Non voglio stare	c solo un pasto veloce.
4 A pranzo si consuma spesso	d insieme per ore.
5 La convivialità occupa	e tutta la domenica davanti ai fornelli.
6 Mia madre e mia nonna cucinavano	f la tradizione del picnic di Pasquetta.

10 *Completa le frasi con "bene" o la forma appropriata di "buono".*

1 Come stai? – ____________, grazie!

2 Questi limoni sono i più ____________.

3 Il viaggio è andato ____________.

4 Mi consiglieresti qualche ____________ ricetta?

5 Questo dolce non mi piace: è più ____________ il tuo!

6 Va ____________, vengo anch'io al picnic!

7 ____________ vacanze!

11 *Inserisci nelle frasi le parole della lista al posto giusto, come nell'esempio. Poi indica se la parola "molto" ha valore di aggettivo o avverbio.*

~~pane~~ | saporito | fresche | pesce | hai lavorato | tempo

1 A colazione ho mangiato _________ molto pane con il burro e la marmellata. aggettivo

2 La *finocchiona* è un salame _________ molto _________. _________

3 _________ molto _________ il fine settimana? _________

4 Per fare la *panzanella* non ci vuole _________ molto _________. _________

5 Sara e Stefano cucinano _________ molto _________: è la loro specialità. _________

6 Per fare il pesto le foglie del basilico devono essere _________ molto _________. _________

5

CONOSCI L'ITALIA?

12 *Vero o falso? Segna la risposta corretta.*

	vero	falso
1 La *finocchiona* è una specialità di Firenze.	☐	☐
2 Nella *panzanella* si mettono pomodori e basilico.	☐	☐
3 La *pastiera* è una ricetta di Bologna.	☐	☐
4 La *bagna cauda* si mangia in Piemonte.	☐	☐

ANCORA PIÙ ASCOLTO

CD▸09 **13** a *Ascolta più volte il dialogo e riordina le parole di ogni frase.*

▸ in 400, coppie, gruppi di amici... tra famiglie, divisi in squadre.
eravamo

____

____

■ vi siete proprio squadre lì per lì oppure si sono formate
iscritti? Ah. Ma... Queste

____

____

▸ ha iscritto la squadra. Io mi sono messa con un gruppo di amiche
No no, d'accordo e una di noi ci siamo iscritti.

____

____

5

■ tutte Ah, donne...

____

▸ E, insomma, l'ombrellone... e poi lì ha presentato
Sì, si è preparata già a casa il suo picnic,
la tovaglia a quadretti sul prato, questa volta sì.
ogni squadra proprio con il classico cestino di vimini,

____

____

____

CD▸10 b *Riascolta il dialogo e pronuncia le battute mancanti della donna. Ripeti l'attività alcune volte.*

Imprevisti delle vacanze

1 *Completa il cruciverba.*

orizzontali

4 Il bagnino ha salvato un uomo con un ..... .

verticali

1 Oggi la .... è forte, tuffarsi non è sicuro.
2 Sulla spiaggia ci sono gli ..... .
3 Ci sono 30°C: la .... è caldissima!
4 Il cane e il conduttore fanno un'esercitazione di ..... .
5 Non si paga per entrare: è una spiaggia ..... .

2 *Completa la chat sotto aiutandoti con il disegno.*

LoRRenZZo

Ciao, Jessica! Che cosa fai di bello?

Ji-Jess

Ehi, Lorenzo! Sono in montagna: che noia! E tu?

LoRRenZZo

Ieri sono stato al mare, con tutta la famiglia... Per fortuna c'era anche Riccardo...

Ji-Jess

Perché?

LoRRenZZo

Allora, mia madre ___ _______ il sole tutto il tempo sulla _______ ___ _______, mio padre ___ giocato ___ _______ con i suoi amici, mia sorella ha _______ il _______ a riva con il salvagente e mio fratello ha _______ un _______ di sabbia. Un divertimento...
Ma io _______ sono _______ in mare e ho nuotato tutto il pomeriggio con Riccardo.

3 *Leggi il testo a pagina 62 di* ***Chiaro! A2*** *e segna la/le risposta/e corretta/e.*

1 Ad Alghero
- **a** un bambino ha fatto una passeggiata da solo sul litorale.
- **b** dei genitori hanno perso un bambino sulla spiaggia.
- **c** i Carabinieri hanno lanciato l'allarme.

2 Vicino a Tarquinia
- **a** un cane ha portato a riva un uomo.
- **b** un bagnino ha salvato un uomo.
- **c** un conduttore della Scuola italiana cani salvataggio ha salvato un uomo.

3 Il cane
- **a** faceva il bagno con il salvagente.
- **b** ha salvato l'uomo con un salvagente.
- **c** ha portato all'uomo il salvagente.

4 *Completa le caselle con le parti del corpo. Le caselle numerate formano il nome di un'altra parte del corpo.*

1 Sono 5 a destra e 5 a sinistra.

2 Si usano per ascoltare la musica.

3 Davanti c'è la pancia e dietro c'è la...

4 È sotto il collo.

5 Si usa per mangiare.

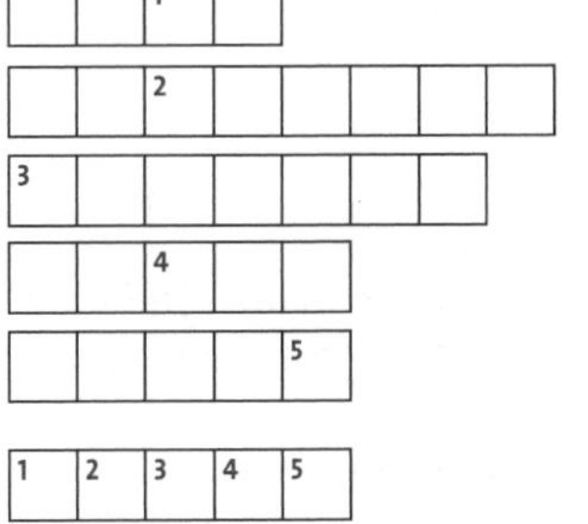

Soluzione:

1	2	3	4	5

5 *Il signor Trovaldi è andato al pronto soccorso. Leggi il testo e completa la sua cartella clinica con le informazioni mancanti.*

Oggi è il 12 agosto. Il signor Lucio Trovaldi, che è nato a Pistoia il 18 maggio del 1963 e abita a Pisa, si è fatto male al braccio destro alle 11. È arrivato al pronto soccorso alle 11:45 e l'infermiera gli ha dato un codice verde. È uscito dal pronto soccorso alle 13:30, il braccio non è rotto, deve prendere delle pastiglie.

Cognome	Nome	Sesso M F
Nato il	a	
Residenza	Cittadinanza italiana	
Data e ora d'ingresso	Data e ora di dimissione	
Problemi principali trauma braccio destro	Urgenza codice verde	
Durata sintomi	Prescrizioni antidolorifico in compresse 3x al giorno	

6 *Completa i consigli della seconda colonna con i verbi all'imperativo indiretto (con "Lei"). Poi unisci le parti di destra e sinistra.*

1 Per il mal di denti	a ________ dal dentista.
2 Per il raffreddore	b ________ delle gocce.
3 Per l'allergia	c ________ la pomata.
4 Per la puntura di vespa	d non ________ freddo.
5 Per il mal d'orecchie	e ________ le immersioni.
6 Per l'eritema solare	f ________ un test.

7 *Queste persone stanno male. Suggerisci una soluzione al loro problema, come nell'esempio.*

Sintomo	**Consiglio**
1 tosse	Prenda uno sciroppo.
2 febbre	___
3 ___	___
4 ___	___

8 *Coniuga i verbi tra parentesi all'imperativo indiretto (con "Lei"). Poi ordina le frasi, come nell'esempio.*

- ☐ ◆ Sì, quando sono uscita dall'acqua dopo il bagno c'era molto vento.
- ☑ 1 ● Buongiorno signora, *(accomodarsi)* ___________.
- ☐ ● Ha preso freddo?
- ☐ ● Allora *(usare)* ___________ questo collirio 2 volte al giorno per 3 giorni.
- ☐ ◆ Posso andare in spiaggia?
- ☐ ◆ Da ieri mi fa male l'occhio sinistro.
- ☐ ● Mi *(dire)* ___________.
- ☐ ● No, non ci *(andare)* ___________ per qualche giorno.
- ☐ ● Mi dispiace, signora, ma il sole non Le fa bene. *(Portare)* ___________ sempre gli occhiali da sole. Non li *(dimenticare)* ___________ mai!
- ☐ ◆ Peccato! Resto al mare solo una settimana...
- ☐ ◆ Buongiorno, dottore.

9 *Completa le frasi con i verbi della lista all'imperativo indiretto negativo, come nell'esempio. Fai riferimento ai foglietti illustrativi a pagina 67 di **Chiaro! A2**.*

continuare | ~~superare~~ | prendere | ripetere | dare

1 Non superi le dosi consigliate.
2 ____________ le compresse al bambino: pesa meno di 20 kg.
3 ____________ il medicinale: la febbre non supera i 38°C.
4 Il Suo eritema è un'allergia: ____________ con queste compresse. Prenda queste invece.
5 Il bambino pesa 30 kg: ____________ la dose più di 4 volte al giorno.

CONOSCI L'ITALIA?

10 *Vero o falso? Segna la risposta corretta.*

	vero	falso
1 Il codice giallo al pronto soccorso indica un caso poco urgente.	☐	☐
2 La Guardia Costiera controlla il mare e il litorale.	☐	☐
3 Una spiaggia libera è una spiaggia per i cani.	☐	☐
4 I cani-bagnino salvano le persone in difficoltà.	☐	☐

11 *Rispondi alle domande coniugando i verbi tra parentesi all'imperativo indiretto (con "Lei"). Completa le risposte con i pronomi diretti o la particella pronominale "ne".*

1 Che crema solare devo usare? – Ne usi *(usare)* una ad alta protezione.
2 Posso lasciare aperte le finestre? – No, ___ __________ *(chiudere)* sempre: ci sono molte zanzare.
3 Per quanto tempo posso prendere il sole? – ___ __________ *(prendere)* solo per 2-3 ore, ma non __________ *(restare)* sempre sdraiata, ____________ *(muoversi)*.
4 Sono allergico ai pollini. Posso andare in bicicletta? – __________ *(Comprare)* una mascherina e ___ __________ *(mettere)* quando va in bicicletta.
5 Ho un eritema solare sulle spalle, che devo fare? – Non ___ __________ *(scoprire)* mai se resta al sole.
6 Quali sono le indicazioni terapeutiche per questo medicinale? – C'è il foglietto illustrativo: ___ __________ *(leggere)* attentamente!

ANCORA PIÙ ASCOLTO

CD ▸ 11 **12**

a *Ascolta più volte e completa il dialogo con le parole mancanti. Attenzione: a ogni riga vuota corrisponde più di una parola.*

▸ Signora, ________________!

○ Io sono arrivato prima.

▸ Sì, ma ________________: Lei è un codice bianco, il ________________.
Il bambino è un codice verde. ________________!

■ Buongiorno, signora. Ciao!

● Buongiorno.

■ Allora, vediamo questa ________________. È già successo altre volte?

● Sì, una volta, ma ________________. L'irritazione non era così forte.

■ E il bambino ha ________________?

● No, non mi risulta.

■ Ha altri problemi di salute, ________________?

● No, è un ________________, non prende farmaci.

■ ... Non ha problemi di respirazione. Bene. Allora, signora,
________________: non ci sono sintomi di allergia. ________________ e
le dia al bambino tre volte al giorno, ________________. ...
E tu ________________, passa subito, sai?

● Grazie. Arrivederci.

■ Arrivederci.

CD ▸ 12

b *Riascolta il dialogo e pronuncia le battute mancanti della madre. Ripeti l'attività alcune volte.*

6

Vacanze in macchina

1 *Scrivi un consiglio appropriato per ciascuna situazione raffigurata. Coniuga i verbi all'imperativo diretto plurale (con "voi").*

1 Allacciate le cinture di sicurezza! ____________________

2 ____________________

3 ____________________

4 ____________________

2 *Associa i consigli della lista alle situazioni. Coniuga i verbi all'imperativo diretto plurale, come nell'esempio. Attenzione: in alcuni casi devi usare la forma negativa.*

consultare il sito www.autostrade.it | programmare il viaggio nei dettagli | ~~guidare più velocemente~~ | bere alcolici | ostacolare l'arrivo dei soccorsi | fissare bene i carichi esterni | controllare i tergicristalli

1 C'è il limite di velocità di 80 km orari. Non guidate più velocemente.

2 Siete a una cena e tornate a casa in macchina. ____________________

3 Piove molto, ma dovete partire. ____________________

4 Avete caricato una bicicletta esternamente. ____________________

5 Volete andare in vacanza in macchina. ____________________

6 Volete sapete com'è il traffico. ____________________

7 C'è un incidente. ____________________

3 *Completa le caselle con le parti dell'automobile. Le caselle numerate formano il nome di un'altra parte della macchina.*

1 Lo usi per guidare.

2 Dentro c'è il motore.

3 Si apre per entrare in macchina.

4 Si usa per caricare le valigie.

5 Per poter vedere bene deve essere sempre pulito.

Soluzione:

1	2	3	4	5

4 *Osserva il disegno e completa il bollettino del traffico in Italia. Utilizza le espressioni presenti a pagina 74 di* ***Chiaro! A2****.*

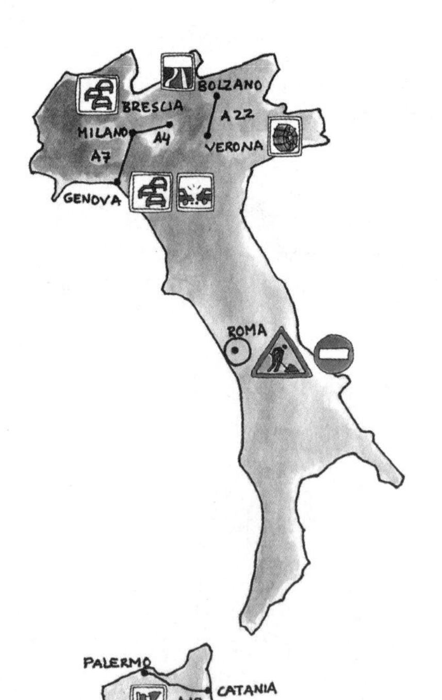

1 A4 tra ______________ e ______________:
______________.

2 Tangenziale di Roma: Roma est, ________
__________________________________.

3 A22 tra ______________ e ______________:
__________________________________.

4 A7 tra ______________ e ______________:
__________________________________.

5 A19 tra ______________ e ______________:
__________________________________.

5 *Il signor Belli vuole denunciare lo smarrimento del proprio portafoglio. Componi il dialogo al commissariato basandoti sui dati contenuti nella scheda sotto.*

Data:	28 agosto 2011
Oggetto smarrito:	portafoglio da uomo
Descrizione:	nero, rettangolare
Contenuto:	carta d'identità, patente, carta di credito, soldi (circa 200 euro)
Luogo smarrimento:	stazione di servizio Vesuvio nord, parcheggio
Data smarrimento:	28 agosto, ore 15 circa

Poliziotto: Buongiorno, mi dica.

Signor Belli: Buongiorno. Vorrei denunciare... ______

Poliziotto: ______

Signor Belli: ______

Poliziotto: ______

Signor Belli: ______

Poliziotto: ______

Signor Belli: ______

Poliziotto: ______

Signor Belli: ______

Poliziotto: ______

Signor Belli: ______

Poliziotto: ______

6 *Completa il cruciverba con gli aggettivi che descrivono la forma degli oggetti indicati nelle definizioni.*

orizzontali

5 Il tramezzino è ..... .

verticali

1 Il portafoglio è ..... .
2 La carta d'identità è ..... .
3 La mela è ..... .
4 Lo specchio è ..... .

7 *Completa lo schema con gli imperativi della lista. Poi aggiungi le forme verbali mancanti .*

dia | di' | faccia | va' | sii | abbia

andare — tu ______ — Lei ______

essere — tu ______ — Lei ______

tu ____________

avere

Lei ____________

tu ____________ Lei ____________

dare

tu ____________

fare

tu ____________ Lei ____________

dire

Lei ____________

8 *Unisci le parti di destra e sinistra. Coniuga i verbi tra parentesi all'imperativo diretto negativo (con "tu") e, se necessario, aggiungi un pronome diretto, come nell'esempio.*

1 Se viaggi con il bagaglio,
2 Se hai documenti o oggetti di valore,
3 Se hai soldi,
4 Se hai il portafoglio nella giacca,
5 Se c'è un incidente,
6 Se posteggi la macchina,

a *(fermarsi)* ____________ a guardare.
b *(lasciare in evidenza in macchina)* ____________.
c *(portare)* ____________ in tasche esterne.
d *(perdere di vista)* non perderlo di vista.
e *(dimenticare)* ____________ in tasca quando la appendi.
f *(chiudere)* ____________ la borsa o la valigia nel bagagliaio.

9 *Completa la trascrizione di una trasmissione radiofonica coniugando i verbi della lista all'imperativo diretto (con "tu"), come nell'esempio.*

girare | chiudere | togliersi | ruotare (2) | posteggiare
~~fermarsi~~ | eseguire | inarcare | cercare | uscire | riposarsi
alzare | mantenere | fare

Buongiorno! Sei in macchina? Allora _fermati_ e ____________ un po'!
____________ un'area di servizio o un parcheggio, ____________ ed
____________ dalla macchina. Ci sentiamo tra 5 minuti.

...

Allora, sei pronto?

____________ gli esercizi come ti dico.

____________ gli occhi, ____________ la testa a destra e a sinistra lentamente.

____________ le spalle, poi ____________ la schiena.

____________ le braccia, ____________ la schiena diritta e ____________ le mani.

____________ le scarpe e ____________ qualche passo a piedi scalzi.

Ora puoi ripartire!

10 *Completa il secondo messaggio con i verbi tra parentesi all'imperativo diretto (con "tu").*

Romeo&Giu:

Ciao, abito a Verona. Mi dareste un'idea per una gita di un fine settimana?

Patty'81:

(Andare) ____________ a san Marino: è un posto unico!
(Evitare) ____________ di partire il venerdì pomeriggio, perché c'è molto traffico. Da Verona *(prendere)* ____________ l'autostrada ed *(uscire)* ____________ al casello di Rimini Sud. Lì *(andare)* ____________ verso San Marino. Se c'è coda *(rilassarsi)* ____________ e *(avere)* ____________ pazienza: sei in vacanza! *(Attraversare)* ____________ il confine (San Marino è uno Stato!) e *(proseguire)* ____________ fino a un parcheggio.
(Sapere) ____________ che non è facile trovare una camera libera in estate, perciò *(prenotare)* ____________ in tempo. *(Fare)* ____________ una bella passeggiata nel centro storico. Se hai voglia di prendere qualcosa, *(salire)* ____________ in Piazza della Libertà, c'è un panorama bellissimo!
(Visitare) ____________ la Rocca e i musei e *(non dimenticare)* ________________ il museo della Ferrari se ti piacciono le macchine!

CONOSCI L'ITALIA?

11 *Vero o falso? Segna la risposta corretta.*

	vero	falso
1 Il limite di velocità in autostrada è sempre uguale per tutti i mezzi.	☐	☐
2 Il numero del pronto soccorso è 118.	☐	☐
3 Le chiamate di emergenza sono gratuite.	☐	☐
4 In caso di furto si può chiamare il 113.	☐	☐

ANCORA PIÙ ASCOLTO

CD ▶ 13 **12** **a** *Ascolta più volte e completa il dialogo con le frasi mancanti.*

◇ ____

■ Piccolo, rosso.

◇ ____

■ Eh, non lo so, non mi ricordo...

◇ ____

■ Mah... Una macchina fotografica, un portafoglio con i soldi, i miei documenti, una bottiglia di acqua minerale e una mela nelle tasche esterne... e basta, mi pare.

◆ No, anche la guida turistica.

■ Ah!

◇ ____

◆ No, mi sembra di no.

◇ ____

____

____

■ Sì.

◇ ____

____

CD ▶ 14 **b** *Riascolta il dialogo e pronuncia le battute mancanti dell'uomo che sporge denuncia. Ripeti l'attività alcune volte.*

E tu come ti informi?

1 *Finisci le frasi in modo appropriato.*

1 Un giornale attendibile dà notizie ______________________.
2 Un quotidiano è ______________________.
3 Una notizia manipolata è ______________________.
4 Un parere è ______________________.
5 “Cartaceo” significa ______________________.

2 *Completa le frasi con la forma appropriata di “meglio” o “migliore”.*

1 Grazie al computer oggi abbiamo una vita ____________.
2 È ____________ incontrarsi che chattare in web.
3 Con la comunicazione virtuale si possono avere contatti ____________ anche con le persone che vivono lontano da noi.
4 In rete si trovano spesso più informazioni che sui giornali, ma non tutte sono strutturate in modo ____________.
5 Informarsi con fonti di informazione diverse è ____________ che navigare solo in web.

3 *Unisci le parti di destra e sinistra e riempi gli spazi vuoti con "che" o "di" (con o senza articolo).*

1 Il treno Eurostar è più veloce	a _______ ascoltare musica classica.
2 Da ragazzo preferivo suonare musica rock	b _______ zafferano.
3 Preparare la *panzanella* è più semplice	c _______ treno regionale.
4 Il prezzemolo è un ingrediente più usato	d _______ giacca.
5 È meglio viaggiare di giorno	e _______ cucinare le lasagne.
6 Il cappotto è più caldo	f _______ di notte.

4 *Completa l'intervista con le parole della lista.*

purtroppo | aggiornato | approfondite | secondo me
per me | interattive | attendibili | però | obiettivo

▸ Signora, che cosa pensa del web?

● __________ è utile perché offre molte attività __________, __________ __________ non sempre è __________.

▸ Le notizie per Lei sono manipolate?

● Beh, no, ma qualche volta non sono veramente __________.

▸ Lo trova un mezzo per informarsi __________?

● Sì, si trovano subito le notizie nuove e spesso sono anche molto __________. __________ è il mezzo più comodo, perché posso informarmi da casa quando voglio.

5 *Descrivi cosa faranno le persone raffigurate, come nell'esempio.*

Elisa comprerà un biglietto del treno.

Paolo, Giacomo e Federico...

Carlotta e Pietro...

Serena...

Stella...

6 *Trasforma il testo dal passato prossimo al futuro.*

Roberta oggi si è svegliata alle 7 ed è andata a scuola alle 8. Alle 13 ha finito le lezioni. Il pomeriggio ha fatto i compiti ed è uscita con le amiche. La sera ha letto un libro ed è stata sveglia fino a tardi.

Domani Roberta...

7 *Descrivi programmi e progetti delle persone indicate sotto, come nell'esempio.*

1 partire con zaino e tenda
2 fare un viaggio in Australia
3 studiare il giapponese
4 vivere a New York
5 vedere tutta l'Europa in un'estate
6 rimanere in contatto con le amiche del liceo

1 Salvatore partirà con zaino e tenda.
2 Marzia...
3 Enrico...
4 Beppe e Michela...
5 Stefano, Raimondo e Simone...
6 Sandra...

8 *Immagina di lavorare come giornalista televisivo in Italia. Scrivi i principali titoli del notiziario utilizzando le categorie indicate.*

Viabilità: ______

Cultura: ______

Sport: ______

Previsioni del tempo: ______

9 *Leggi il testo a pagina 92 di **Chiaro! A2** e segna la/le risposta/e corretta/e.*

1 Il sito di Wikipedia
  a non ha pubblicità.
  b controlla tutti i dati degli utenti.
  c non è regolamentato dall'esterno.

2 Jimmy Wales
  a controlla tutte le informazioni di Wikipedia.
  b scrive tutte le notizie di Wikipedia.
  c ha creato Wikipedia.

3 Jimmy Wales
  a legge solo il giornale cartaceo.
  b ha abbonamenti a molti giornali.
  c legge solo le notizie in rete.

10 *Forma delle frasi con gli elementi di due o tre caselle e coniuga il verbo come nell'esempio.*

La radio Il telegiornale La campagna pubblicitaria I lettori dei giornali cartacei Il sondaggio I responsabili del sito	fare ipotesi su difendere diminuire analizzare dare approfondire	l'opinione sulle nuove tecnologie alcune informazioni giornali su carta futuro della stampa informazioni sul traffico

1 I lettori dei giornali cartacei stanno diminuendo.
2 ______
3 ______
4 ______
5 ______
6 ______

CONOSCI L'ITALIA?

11 *Vero o falso? Segna la risposta corretta.*

	vero	falso
1 La "prima serata" televisiva in Italia inizia alle 20:30.	☐	☐
2 Il Sole 24 Ore è un giornale per le previsioni del tempo.	☐	☐
3 L'Italia ha festeggiato i 150 anni di unità.	☐	☐
4 In Italia ci sono almeno 3 quotidiani sportivi nazionali.	☐	☐

ANCORA PIÙ ASCOLTO

CD▸15 **12** a *Ascolta più volte e completa il dialogo con le frasi mancanti.*

◆ Pronto?

● Buongiorno, signora. Sono una studentessa della facoltà di Scienze delle comunicazioni e sto scrivendo la tesi, quindi avrei bisogno di intervistare un po' di persone.

____

sul tema "Come vi informate"?

◆ Sì, beh, se non dura troppo...

● ____.

◆ Mi dica, allora.

● ____?

◆ Beh, io in genere leggo il giornale...

● ____?

◆ Mah, in genere preferisco leggere quello cartaceo. Non leggo tutto, ovviamente, leggo solo gli articoli che mi interessano di più. Se non ho tempo di comprare il giornale, allora do un'occhiata al quotidiano on line.

● ____?

◆ Sì, di solito la mattina o quando cucino. È un mezzo piacevole, pratico, secondo me.

● ____?

◆ Bah, guardo poco la tv. La uso raramente per informarmi. Preferisco, come ho detto, giornale e radio.

CD▸16 b *Riascolta il dialogo e pronuncia le battute mancanti della donna intervistata. Ripeti l'attività alcune volte.*

La vacanza è di casa

1 *Associa i tipi di alloggio della lista agli annunci.*

appartamento | pensione | campeggio | bed and breakfast
agriturismo | ostello | villaggio turistico

1 "La finestra sul lago" offre agli ospiti una camera matrimoniale con bagno e due camere singole con bagno in comune, sala per colazione e due terrazze solarium.

____

2 **Monolocale a 200 m dal mare, nuovo, possibilità affitto luglio-agosto.**

____

3 **Offerta Pasqua: camera con mezza pensione, 80 euro al giorno.**

____

4 Posti tenda con vista panoramica sul golfo, servizi, max. 50 m dal mare.

____

5 **Compresi nel prezzo: spettacoli e animazione, piscina, spiaggia, attività sportive ed escursioni.**

____

6 *Il paradiso dei bambini: nella nostra fattoria troverete cani, gatti, cavalli...*

____

7 ***Tutte le stanze da 4 a 6 posti letto hanno un bagno con doccia.***

____

2 *Filippo ed Enrica stanno cercando una casa vacanze da affittare. Leggi quali sono le loro esigenze e aiutali a scrivere un'e-mail a un agente immobiliare.*

3 coppie di amici,
1 cane,
prime 3 settimane agosto,
zona Rimini,
distanza dal mare: 500 m max,
negozi vicini,
max 900 euro/settimana

Egregio sig. Verdini,

____

____

____

____

____

____

____

____

3 *Completa le frasi come nell'esempio.*

1 Con la lavatrice si lavano le lenzuola.
2 Con il congelatore ________________.
3 Con il forno ________________.
4 Con il riscaldamento ________________.
5 Con la lavastoviglie ________________.
6 Con il piano cottura ________________.

4 *Cerca l'intruso in ogni lista. Poi trova la categoria delle restanti parole.*

1 luce – elettricità – giardino – riscaldamento – climatizzatore

____

2 camera da letto – soggiorno – terrazza – bagno – cucina

____

3 monolocale – villetta – appartamento di 2 locali – dependance in villa – piano terra

____

5 *Rispondi alle domande in modo negativo, come nell'esempio.*

1 Hai spedito per fax la prenotazione della casa al mare? (e-mail)

No, l'ho spedita via e-mail.

2 Hai trovato sul sito le informazioni sull'hotel? (rivista)

____

3 Giulio, hai chiamato il signor Scarlini per l'appartamento? (non ancora)

____

4 Ragazzi, l'anno scorso avete passato le vacanze in Abruzzo? (Sicilia)

____

5 Avete preso i prospetti in agenzia? (ufficio informazioni)

____

6 Ha già incontrato Michela, la proprietaria? (no)

____

6 *Formula una domanda appropriata per ogni risposta.*

______________________________? Mi dispiace, non sono permessi animali.

______________________________? No, ma c'è una terrazza grande.

______________________________? Sì, è tutto compreso.

______________________________? A circa 1 km, ma c'è un servizio di autobus.

______________________________? Sì, è spaziosa e accessoriata.

______________________________? 700 euro più le spese.

______________________________? 5 minuti con la macchina.

7 *Fai un elenco delle cose che vedi nell'appartamento raffigurato.*

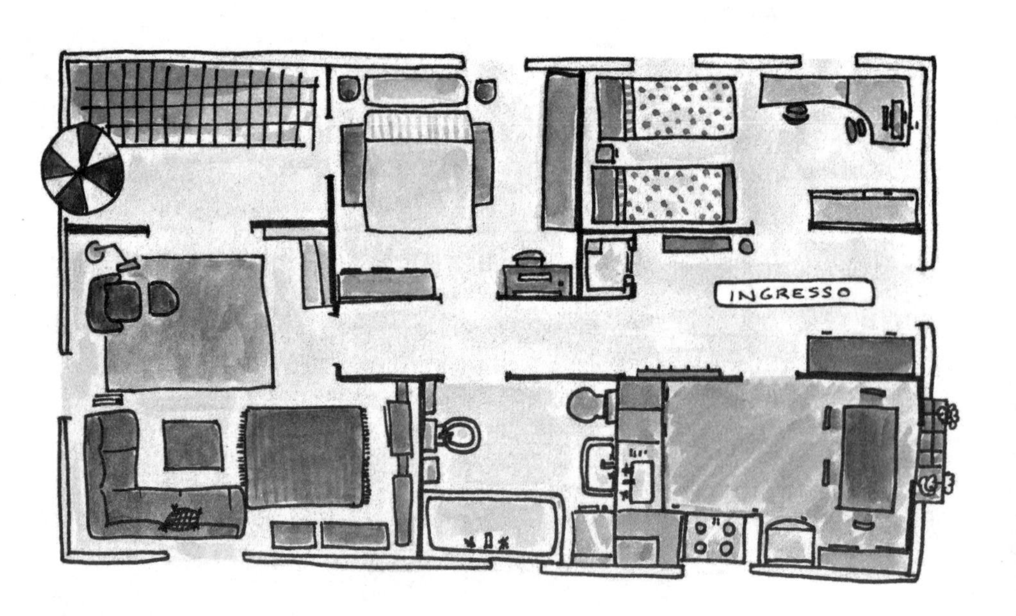

1 In cucina c'è/ci sono... ______

______

2 In camera da letto c'è/ci sono... ______

______

3 In soggiorno c'è/ci sono... ______

______

8 *Completa lo schema separando le parole con un significato positivo da quelle con un significato negativo.*

brutto | panorama | meraviglia | piccolo | vista
stretto | peccato | rumoroso | bello | mare

Che...! ☺

______ ______ ______ ______ ______

Che...! ☹

______ ______ ______ ______ ______

9

9 *Leggi il testo a pagina 104 di* ***Chiaro! A2*** *e segna la/le risposta/e corretta/e.*

1 RoadSharing è
   a un nuovo modo di viaggiare.
   b un sito per cercare compagni di viaggio.
   c una forma moderna di autostop.

2 Per trovare il passaggio bisogna
   a registrarsi sul sito.
   b pagare il sito.
   c pagare il biglietto.

3 Per essere membri di CouchSurfing bisogna
   a pagare 120 euro all'anno.
   b promettere di ricambiare l'ospitalità o aiutare a fare le pulizie.
   c pagare l'ospitalità.

10 *Inserisci le parole della lista nella colonna appropriata.*

armadio | tavolo | specchio | lampada | lettino | poltrone
ostelli | agriturismo | asciugamani | lenzuola | servizi
accessori | sedia | albergo | agenzia | divano

quel	quello	quella	quell'	quei	quegli	quelle

11 *Completa le frasi con i sostantivi dell'esercizio **10** e la forma appropriata di "bello". Sono possibili diverse soluzioni.*

1 Che bell'armadio __________ spazioso!

2 Che __________ funzionale!

3 Che __________ moderni!

4 Che __________ comode!

5 Che __________ accogliente!

6 Che __________ tranquillo!

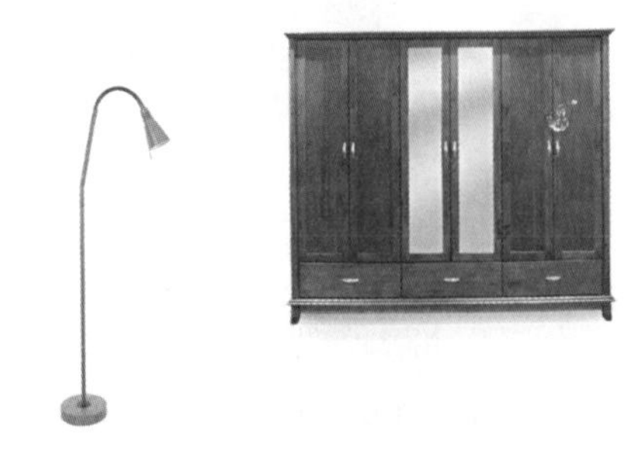

CONOSCI L'ITALIA?

12 *Vero o falso? Segna la risposta corretta.*

	vero	falso
1 La biancheria da letto e da bagno di solito non è compresa nel prezzo di un appartamento.	☐	☐
2 CouchSurfing è un'organizzazione italiana.	☐	☐
3 L'affitto di case per le vacanze è settimanale o mensile.	☐	☐
4 In un agriturismo si può solo dormire, ma non mangiare.	☐	☐

ANCORA PIÙ ASCOLTO

CD▸17 **13**

a *Ascolta più volte il dialogo e riordina le parole per formare delle frasi.*

◆ Eccoci qua.
■ questa strada! stretta Eh, però, che

____

◆ però la posizione Sì, la strada è vero, in effetti della casa è molto tranquilla. di accesso è stretta

____

● Sì, tranquillissima, guarda! E anche soleggiata, nonostante tutti questi alberi. Che bello! Mi piace proprio. E l'appartamento qual è?

◆ È questo, guardi. Ecco, si entra di qui.

libreria con cassetti... quindi qui È un monolocale,
spaziosa, luminosa, abbiamo la stanza e da soggiorno...
con tavolo, armadio, che serve da camera da letto

9

____

____

____

■ Accogliente, sì.
◆ E di qui si passa in cucina. E poi qui c'è il bagno con doccia...
● Senta, la biancheria viene fornita? È compresa nel prezzo?
◆ sul posto. ma non sono compresi Allora, nel prezzo. Si pagano extra, lenzuola e asciugamani vengono forniti, Sono 5 euro a persona.

____

____

____

CD▸18

b *Riascolta attentamente il dialogo e ripeti le frasi. Concentrati sull'intonazione.*

L'Italia in festa

1 **a** *Formula degli auguri appropriati per ciascuna delle situazioni raffigurate.*

b *Quali altri auguri conosci in italiano che contengano l'aggettivo "buon"?*

2 *Completa l'e-mail con i verbi "sapere" o "conoscere" all'imperfetto o al passato prossimo.*

Ciao Stefano,

scusa se ti rispondo con un po' di ritardo, ma ho visto solo ora la tua e-mail. Ho passato il fine settimana a Ivrea, con dei ragazzi che (io) ______________ all'università. Hanno organizzato tutto loro e io l'______________ solo venerdì. Siamo andati a vedere il carnevale. Io non lo ______________ per niente. (Tu) ______________ che la battaglia delle arance si svolge nelle piazze e nelle strade? È uno spettacolo coloratissimo e... molto profumato.

A presto

Sandra

P.S. (Io) ______________ da Mario che hai cambiato lavoro.

Ti piace? (Tu) ______________ persone simpatiche?

3 *Completa il calendario con le altre feste e ricorrenze italiane che conosci.*

GENNAIO	FEBBRAIO	MARZO	APRILE
	carnevale		Pasqua

MAGGIO	GIUGNO	LUGLIO	AGOSTO

SETTEMBRE	OTTOBRE	NOVEMBRE	DICEMBRE

4 *Leggi il testo a pagina 112 di* ***Chiaro! A2*** *e segna la/le risposta/e corretta/e.*

1 Il 14 febbraio a Vico del Gargano
  a tutti mangiano arance.
  b passare per il Vicolo del bacio porta fortuna.
  c è la festa del Santo Patrono.

2 Il 16 agosto
  a in Italia in molte città ci sono gare tra rioni.
  b a Siena si svolge una corsa di cavalli.
  c i quartieri di Siena si sfidano in una gara.

3 Il Palio delle Antiche Repubbliche Marinare si svolge
  a in primavera.
  b ogni anno a Pisa.
  c nella laguna veneziana.

5 *Accetta o rifiuta gli inviti in modo appropriato.*

1 Ti va di bere un aperitivo insieme sabato sera?

☺ ______________________________

____

☹ ______________________________

____

2 Che ne dici di andare al mercatino di Natale di Bolzano domenica?

☺ ______________________________

____

☹ ______________________________

____

6 *Unisci le parti di destra e sinistra e forma delle frasi.*

1 Mercoledì sera ci sono i fuochi sul lungomare, ti
2 Che ne dici
3 Martedì potremmo
4 Andiamo alla fiera di Sant'Orsola,
5 Hai voglia di
6 Quest'anno volevo vedere il Palio delle Antiche Repubbliche Marinare,

a passare il fine settimana a Siena?
b ma purtroppo ho dovuto lavorare.
c va di uscire con noi?
d incontrarci in piazza per la Sagra del Prosciutto.
e di andare a mangiare polenta e merluzzo?
f vi va di venire?

7 *Completa le frasi con il verbo "cominciare" o "finire" al passato prossimo.*

1 Il telegiornale _____ già _______________? – Beh, veramente _____ anche già _______________ da 10 minuti!
2 (Io) _______________ a frequentare un corso di fotografia e ho conosciuto molte persone simpatiche.
3 (Io) _______________ di fare i compiti mezz'ora fa.
4 La manifestazione _______________ ieri e finisce domenica.
5 Quando _______________ il festival di Sanremo? – Sabato scorso.
6 (Loro) _______________ ad addobbare la città per la festa del Patrono.

8 *Leggi i testi, poi completa le frasi sotto con le parole della lista. Fai attenzione alle desinenze.*

Palio Città di Trento
9–10–11 settembre
Piazza del Duomo e centro storico a Trento con esposizioni di prodotti artigianali e artistici.

Tipico Italiano: dal 06/05 ore 09:00 all'08/05 ore 20:00
Dove: Piazza Mazzini, Falconara Marittima (AN), Marche
Cosa: vendita di formaggi, prosciutto, dolci, olio, vini...

Giostra dell'Orso:
25 luglio, San Jacopo, ore 21:30, inizio della Giostra medievale.

Marcia Gran Paradiso: il 10/07 dalle 08:30
Dove: Cogne (AO), Valle d'Aosta
Correre è vietato, si cammina solamente!

Festa di Sant'Agata, Patrona della città di Catania, dal 3 al 5 febbraio.

festa | manifestazione | evento | iniziativa | fiera
svolgersi | celebrare | rievocare | rappresentare
religioso | storico (2) | sportivo | gastronomico

1 La Giostra dell'Orso è una ______________ che ______________ a Pistoia il giorno 25 luglio, ______________ di San Jacopo, e ______________ avvenimenti ______________.

2 Tipico Italiano è una ______________ ______________.

3 Il Palio di Trento ha carattere ______________: i soldati di oggi ______________ i soldati della Repubblica di Venezia. Ogni quartiere partecipa all'______________.

4 La Marcia del Gran Paradiso è un ______________ ______________.

5 La Festa di Sant'Agata è una delle più importanti feste ______________ della Sicilia. Si ______________ tutti gli anni dal 3 al 5 febbraio.

9 *Completa lo schema con oggetti e capi di abbigliamento realizzati nei materiali indicati.*

di cotone

di lana

di pelle

d'oro

10 **a** *In base alle informazioni tra parentesi, scrivi un dialogo tra la commessa di un negozio di abbigliamento e una cliente che vuole provare una camicetta.*

Cliente: Buongiorno.

Commessa: Buongiorno, mi dica.

Cliente: (chiedere di provare) Vorrei ____________________

____

Commessa: (taglia) ____________________

Cliente: ____________________

Commessa: Ecco a Lei.

Cliente: (chiedere un'informazione sul materiale) ____________________

____

Commessa: Sì, sì, certamente.

Cliente: (chiedere un parere) ____________________

Commessa: (esprimere un parere positivo) ____________________

b *In base alle informazioni tra parentesi, scrivi un dialogo tra la commessa di un negozio di calzature e un cliente che vuole provare un paio di scarpe.*

Cliente: Buongiorno.

Commessa: Buongiorno, mi dica.

Cliente: (chiedere di provare) Vorrei ______________________________

____

Commessa: (numero) ______________________________

Cliente: ______________________________

Commessa: Ecco a Lei.

Cliente: (chiedere un'informazione sul materiale) ______________

____

Commessa: Sì, sì, certamente.

Cliente: (chiedere un parere) ______________________________

Commessa: (esprimere un parere positivo) ______________________

10

CONOSCI L'ITALIA?

11 *Vero o falso? Segna la risposta corretta.*

		vero	falso
1	Il 6 dicembre è festa in Italia.	☐	☐
2	La Festa della Repubblica è il 25 aprile.	☐	☐
3	Pisa e Venezia erano Repubbliche Marinare.	☐	☐
4	Il San Daniele è un famoso vino.	☐	☐

ANCORA PIÙ ASCOLTO

CD▶19 **12** **a** *Ascolta più volte e completa il dialogo con le frasi mancanti.*

▷ Bello, proprio bello qui! E molto carine le tue creazioni! Senti, consigliami qualcosa, dai!

◆ ______________________________

____

____

▷ Carini, sì, però... non so... E invece questo braccialetto mi piace molto. Oppure quello là. Ehm, posso provarli tutti e due? Sono d'argento?

◆ ______________________________

▷ Belli! Come mi stanno?

◆ ______________________________

▷ E quanto vengono?

◆ ______________________________

▷ Mmm, tu cosa dici: quale prendo?

■ ______________________________

▷ Mmm, io invece... preferisco questo. Sì, prendo questo.

◆ ______________________________

■ ______________________________

▷ Eh... che ci posso fare.

CD▶20 **b** *Riascolta il dialogo e pronuncia le battute mancanti della donna. Ripeti l'attività alcune volte.*

Soluzioni

Lezione 1

1 **orizzontali: 2** evidenziatore; **5** quaderno; **6** lavagna; **7** matita; **8** gesso
verticali: 1 penna; **3** pennarello; **4** gomma

2 **1** e; **2** c; **3** a; **4** d; **5** f; **6** b

3 **1** esercizi e giochi; **2** grammatica; **3** il lessico; **4** la statistica

4 8:00 doccia
8:30 colazione
9:30 corso di italiano
12:30 pranzo
13:30 tempo libero
15:00 sport e giochi
17:30 bagno in piscina
19:30 cena
21:00 spettacolo della sera

Alle; la doccia; fanno; Dalle; alle; il corso di italiano; A; il pranzo; Alle; fa; dopo; vanno

5 **2** Poi abbiamo scritto la prenotazione all'albergo.; **3** Siamo andati a Trieste in treno.; **4** Abbiamo visitato il centro.; **5** Abbiamo bevuto un/l'aperitivo in Piazza Unità.; **6** Abbiamo visto la Cattedrale di San Giusto e il Castello di Miramare.; **7** Il fine settimana mi è piaciuto moltissimo.

6 **1** *Al* quarto posto; **2** Al settimo posto; **3** "Lasagne" e "risotto"; **4** *Al* primo *posto c'è la parola "pizza".*

7 Frequento; in; vicino a; pacchetto; ogni; la; Il; diverse; A me; mi; Sono; della

8 **Soluzione possibile: 2** i cibi più conosciuti/famosi/noti.; **3** le città più conosciute/famose/note.; **4** il prodotto più conosciuto/famoso/noto.; **5** le bevande più bevute/conosciute/famose/note.; **6** il monumento più grande/conosciuto/famoso/noto.

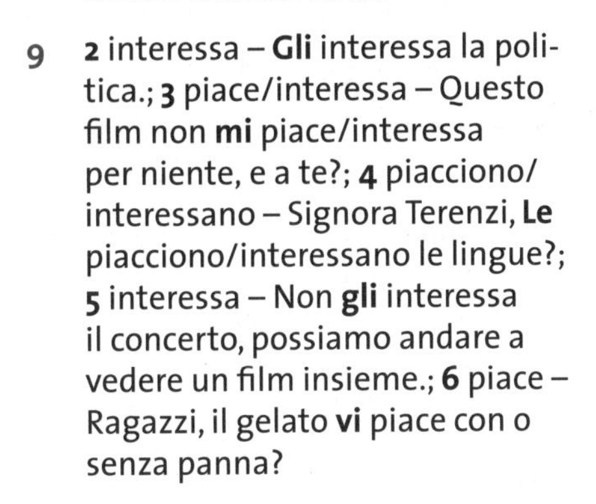

9 **2** interessa – **Gli** interessa la politica.; **3** piace/interessa – Questo film non **mi** piace/interessa per niente, e a te?; **4** piacciono/interessano – Signora Terenzi, **Le** piacciono/interessano le lingue?; **5** interessa – Non **gli** interessa il concerto, possiamo andare a vedere un film insieme.; **6** piace – Ragazzi, il gelato **vi** piace con o senza panna?

10 **1** a; **2** b; **3** b

11
- ● Senti, per te qual è **la parola italiana più bella**?
- ◆ Mah, non saprei... In che senso, scusa? Intendi per il suono o per il significato?
- ● Mah, scegli tu, **come preferisci**: per il suono o per il significato. **O per tutti e due**.
- ◆ Ma non è facile! Poi così su due piedi...
- ● Beh, ma prova, dai! Per esempio?
- ◆ Mah, per esempio forse "armonia". Sì, ecco, "armonia" **mi piace**. Non so se... se è proprio **la parola più bella**, però... sì, mi piace. Per il suono, mi piace per il suono questa parola. Ma... Senti, ma **perché mi fai questa domanda**? Ma come ti è venuta in mente?
- ● Eh, perché **ho appena letto** un articolo che parla di un **sondaggio** sulla lingua italiana, anzi sugli italiani e la loro lingua. E fra le altre cose, **hanno chiesto alle persone** anche, secondo loro, qual è **la parola più bella** della lingua italiana.

Lezione 2

1 **Soluzione possibile: 2** *de*lla biglietteria, *a*lla scala;
3 *de*llo sportello informazioni;
4 il tabellone dell'orario
5 il sottopassaggio; **6** *a*l binario

2 **1** c/f; **2** e; **3** a; **4** c/f; **5** d; **6** b

3 **1** bisogna; **2** Ci vuole; **3** ci vogliono; **4** bisogna; **5** ci vogliono; **6** ci vuole

4 **Soluzione possibile: 1** Da che binario parte l'Intercity per Viareggio delle 11:38? – Dal binario 4.;
2 Quanto ci vuole da La Spezia a Viareggio con il regionale delle 9:12? – Ci vogliono 51 minuti.;
3 Quanto costa un biglietto per Viareggio? – Il biglietto di prima classe costa 8 euro e quello di seconda classe 6,50 euro.;
4 C'è un Intercity per Viareggio tra le 11 e le 12? – Sì, alle 11:38.

5 **arrivare**: arriveremmo, arriverebbero; **scendere:** scenderei, scendereste; **finire:** finiresti, finiremmo; **partire:** partiresti, partirebbe

6 **orizzontali: 2** dareste; **5** potresti; **7** vorrebbe; **8** andrei
verticali: 1 faresti; **3** verrebbero; **4** dovresti; **6** sarebbe

7 **1** Le frasi 7 e 8; **2** Nelle frasi 4 e 5; **3** Nelle frasi 1 e 2; **4** Nelle frasi 3 e 6

8 **a** *Io andrei in macchina fino* a Stresa, sul Lago Maggiore. Con il battello arriverei a Locarno, poi attraverserei le Centovalli e visiterei Domodossola. Tornerei a Stresa in treno.; **b** *Silvia farebbe un viaggio in treno* con delle amiche. Girerebbe l'Italia e dormirebbe in albergo. Vedrebbe qualche città d'arte, ma farebbe anche passeg-

giate nella natura.

9 **1** b; **2** b, c; **3** a, c

10 **1** delle; **2** delle; **3** dei; **4** delle, qualche; **5** qualche; **6** Qualche

11 **1** veloce, velocemente; **2** comodo, comodamente; **3** alto, altamente; **4** facile, facilmente; **5** regolare, regolarmente; **6** personale, personalmente

12 **1** falso; **2** vero; **3** falso; **4** vero

13 **1**
▷ **Scusi, quando parte il prossimo treno per Venezia**?
■ Il prossimo? Dunque alle... 11:37 dal binario 8.
▷ Grazie.
■ Prego.

2
■ Prego, signora.
▶ **Senta, da che binario parte il treno delle 12:08 per Viareggio**?
■ Dal binario 6.
▶ Va bene, grazie.

3
■ Buongiorno, mi dica.
◆ **Quanto ci vuole per arrivare a Napoli con il Frecciarossa**?
■ Con il Frecciarossa... ci vogliono 3 ore e 16 minuti.
◆ **Ah, e quanto costa il biglietto di seconda classe**?
■ 63 euro e 70.
◆ Va bene. Grazie.
■ Prego.

Lezione 3

1 **orizzontali: 1** borsa; **5** occhiali; **6** sandali
verticali: 2 accessori; **3** guanti; **4** pantaloni

2 **Soluzione possibile:** *Alla donna consiglierei la gonna*, la camicetta, i jeans, la maglietta, la sciarpa e le scarpe da donna.
All'uomo consiglierei i jeans, il maglione, la giacca, la maglietta, la camicia, la cravatta, il cappello, la sciarpa e le scarpe da uomo.

3 **1** tranquillo; **2** veloce; **3** a zampa d'elefante; **4** maglione

4 **fare:** *facevo*, facevi, faceva, facevamo, *facevate*, facevano; **essere:** ero, eri, *era*, *eravamo*, eravate, erano

5 **1** *Martin* ***viveva*** con altri studenti: un olandese, un irlandese e uno spagnolo.; **2** **Abitava** vicino all'università e per andare a lezione **faceva** tutti i giorni una passeggiata.; **3** Il pomeriggio **studiava**, **leggeva** libri in italiano, **guardava** la TV e **sentiva** la radio.; **4** **Era** batterista in una band di studenti e **gli piaceva** suonare pezzi lenti e veloci.; **5** **Conosceva** studenti di tutto il mondo e **viveva** in un'atmosfera internazionale.

6 **1** a; **2** a; **3** a

7 **1** Sentivamo, venivano, avevo, portavano, ascoltavamo;

2 sperimentava, vedevano, portavano; **3** era, poteva, doveva

8 **2** Si andava in cabina a telefonare.; **3** Si facevano le ricerche in biblioteca.; **4** Si viaggiava con l'autostop.; **5** Si portavano stivali molto lunghi.

9 **Soluzione possibile: 2** Il cappello è elegante, ma il berretto è più pratico.; **3** La gonna è bella, ma i pantaloni sono più comodi.; **4** La t-shirt è sportiva, ma la camicetta è più bella.; **5** Le scarpe sono comode, ma i sandali sono più pratici.

10 **Soluzione possibile:** abitavo; andavo; Eravamo; Avevamo; Ci alzavamo; volevano; era; *si* trovava; c'era; viaggiava; arrivavamo; *si* riposavano; metteva; andavamo

11 **1** vero; **2** vero; **3** falso; **4** falso

12
- ● Davide, guarda che cosa ho trovato **in** casa **di** mia nonna! È la foto **della** classe **di** mio padre **al** liceo!
- ◆ Ma dov'erano?
- ● Eh, facevano una gita **in** Sicilia. Era l'ultimo anno **di** scuola. Mio padre, vedi, è questo ragazzo magro, quello **con** i capelli lunghi e gli occhiali **a** goccia.
- ◆ Ma no, Marco, non è possibile! Com'è vestito? Tuo padre **con** i pantaloni **a** zampa **d'**elefante! Che tempi!
- ● Eh sì, eh! Li portava sempre **con** delle camicie strette **a** disegni geometrici... Guarda! C'è anche tua madre **nella** foto.
- ◆ Ah, è vero! È quella **a** sinistra. Camicetta **a** fiori e minigonna. E **vicino a** lei... la sua amica più cara, Camilla.
- ● Ma... è una chitarra!
- ◆ **Per** mia madre era come una sorella.

Lezione 4

1 **1** *Paola* ascoltava la musica e non ha sentito l'annuncio.; **2** Fuori pioveva e io sono uscita con l'impermeabile.; **3** Paola scriveva un SMS, non ha guardato il tabellone ed è salita sul treno sbagliato.; **4** Luca dormiva e a un certo punto ha sognato di andare in barca a vela.

2 è successo; è andata; è andata; era; è partita; era; aveva; aveva; Ha dimenticato; Ha preso; è arrivata

3
1 Carlo Pagnotta, di Perugia, **aveva** la passione del jazz e **sognava** un festival tutto umbro.
2 L'idea **è nata** in un caffè nel centro storico di Perugia.
3 Umbria Jazz **è iniziato** nell'estate del 1973, come festival musicale gratuito.
4 La prima edizione **è stata** un successo.

5 Ogni anno **aumentava** il pubblico.
6 Nell'82, dopo tre anni di interruzione, il festival **è rinato** con una formula diversa: il biglietto si **pagava**.

4 **1** Buongiorno. Vorrei 4 biglietti per "La Traviata". – Sì, e per quando?; **2** Per il 22 maggio. Mi potrebbe dire quanto costano? – 45, 68 o 92 euro.; **3** Allora prendo 4 biglietti da 68 euro. Posso pagare con la carta di credito? – Sì, mi può dire tipo e numero della carta?; **4** È una Visa numero... A che ora inizia lo spettacolo? – Alle ore 21, ma alle 20 apre il teatro/si può già entrare.

5 **1** a, c; **2** b, c; **3** a, b

6 **orizzontali: 2** piatti; **6** fagotto; **7** oboe
verticali: 1 sassofono; **3** trombone; **4** violino; **5** batteria

7 Marina: "*Da bambina il mio sogno **era*** diventare ballerina di danza moderna e **studiavo** balletto in una scuola. *A gennaio del 1989* **ho iniziato** a ballare in un gruppo teatrale. Qualche volta non **avevo** voglia di fare esercizi e allora **pensavo** alla mia maestra. Lei mi **diceva** sempre: 'Almeno un'ora al giorno, tutti i giorni!'".

8 **1** f; **2** b; **3** a; **4** c; **5** d; **6** e

9 **entrare:** *in un'orchestra*, al conservatorio, in un coro; **studiare:** uno strumento, a memoria, al conservatorio, per un concorso, *un pezzo musicale*

10 **Soluzione possibile: 1** Che genere di musica ascolti?; **2** Con chi hai imparato a suonare?; **3** Che strumento suoni e da quanto tempo?; **4** I tuoi genitori suonavano uno strumento?; **5** Perché hai iniziato a suonare da bambino?; **6** Quando e quanto suoni?

11 **1** falso; **2** vero; **3** falso; **4** falso

12
- ● **Ehi, ciao Giacomo, io sono già in treno. Sei in viaggio anche tu?**
- ◆ No, ancora no.
- ● **Ah, e quando parti? Arrivi a Torre del Lago in tempo, no?**
- ◆ E perché non dovrei?
- ● **Perché sei un ritardatario...**
- ◆ No, stavolta no. C'era un sacco di traffico, però sono uscito di casa in tempo, ho preso un taxi per non dover cercare un parcheggio, sono arrivato addirittura in anticipo e sono già al binario.
- ● **Bravo, bravo... Oh, sono contenta che quest'anno andiamo al Festival insieme. Tu l'anno scorso eri entusiasta.**

Lezione 5

1
1 Quest'anno **ci siamo messi d'accordo** e a Pasquetta **abbiamo organizzato** un picnic.
2 **Ci siamo incontrati** 4 volte per decidere dove andare e cosa fare.
3 Sandra e Federico **hanno scelto** il posto, fuori porta, un po' in collina; poi **ci siamo trovati** per fare la spesa e **ci siamo divertiti** a cucinare insieme.
4 Il giorno di Pasquetta **ci siamo incontrati** alle 8 e **siamo saliti** in collina con gli zaini pieni di tutto.
5 **Abbiamo camminato** per circa tre ore. Alle 11 **siamo arrivati** e **ci siamo riposati**.
6 Verso le 12 **abbiamo aperto** gli zaini e **abbiamo cominciato** il vero picnic.
7 Dopo pranzo **abbiamo fatto** il tradizionale sonnellino, poi **ci siamo divisi** in 2 squadre e **abbiamo giocato** a calcio.
8 Paolo **si è lamentato**, perché era stanco, ma io **mi sono divertito** come un bambino.

2
2 Mi diverto/Mi annoio quando faccio un'escursione in montagna.; **3** Mi diverto/Mi annoio quando visito musei d'arte moderna.; **4** Mi diverto/Mi annoio quando guardo la TV.

3
1 Il ciambellone è un dolce semplice che si mangia a colazione.; **2** Le lasagne sono un piatto che si fa con la pasta e la carne.; **3** Il cappuccino e il latte macchiato sono bevande che si bevono calde.; **4** I tramezzini sono degli spuntini che si ordinano al bar.; **5** I funghi trifolati sono un contorno che si prepara con il prezzemolo.

4
1 di prosciutto – carne; **2** melanzana – aromi; **3** al vino – tipo di cottura; **4** bottiglia – ingredienti

5
orizzontali: 4 tagliare; **6** condire
verticali: 1 strizzare; **2** mescolare; **3** mettere; **5** aggiungere

6
Ingredienti (per 4 persone):
1 cespo di ins**alata**
1 peperone g**iallo**
1 peperone verde
2 **pomodori**
1 **scatoletta** di tonno
1 **cipolla**
sale
pepe
olio extravergine d'**oliva**

Procedimento:
Mettere a **bagno** l'ins**ala**ta.
Tagliare a **fette** i **pomo**dori, la **cipolla** e i peperoni. Mettere le **verdu**re affettate in un'in**salatie**ra. Agg**iungere** il tonno. Condire il tutto con **olio** e **sale** in abbondanza. Aggiungere da ul**timo** il pepe.
Buon **appetito**!

7
bellissima; elegantissimo; particolarissimo; gentilissimi; ricchissimo; buonissimi; convenientissimo; moltissimo; comodissima

8 **1** b, c; **2** c; **3** a

9 **1** b; **2** f; **3** e; **4** c; **5** a; **6** d

10 **1** Bene; **2** buoni; **3** bene; **4** buona; **5** buono; **6** bene; **7** Buone

11 **2** molto saporito – avverbio; **3** Hai lavorato molto – avverbio; **4** molto tempo – aggettivo; **5** molto pesce – aggettivo; **6** molto fresche – avverbio

12 **1** falso; **2** vero; **3** falso; **4** vero

13
▶ Eravamo in 400, tra famiglie, coppie, gruppi di amici... divisi in squadre.
■ Ah. Ma... Queste squadre si sono formate lì per lì oppure vi siete proprio iscritti?
▶ No no, ci siamo iscritti. Io mi sono messa d'accordo con un gruppo di amiche e una di noi ha iscritto la squadra.
■ Ah, tutte donne...
▶ Sì, questa volta sì. E, insomma, ogni squadra si è preparata già a casa e poi lì ha presentato il suo picnic, proprio con il classico cestino di vimini, la tovaglia a quadretti sul prato, l'ombrellone...

Lezione 6

1 **orizzontali:** **4** salvagente
verticali: **1** corrente; **2** ombrelloni; **3** sabbia; **4** salvataggio; **5** libera

2 ha preso; sedia a sdraio; ha; a bocce; fatto; bagno; costruito; castello; mi; tuffato

3 **1** a, b; **2** a, c; **3** b

4 **1** dita; **2** orecchie; **3** schiena; **4** petto; **5** bocca; **Soluzione**: testa

Cognome Trovaldi	Nome Lucio	Sesso	~~M~~ F
Nato il 18 maggio 1963	a Pistoia		
Residenza Pisa	Cittadinanza italiana		
Data e ora d'ingresso 12 agosto, 11:45	Data e ora di dimissione 12 agosto, 13:30		
Problemi principali trauma braccio destro	Urgenza codice verde		
Durata sintomi dalle ore 11	Prescrizioni antidolorifico in compresse 3x al giorno		

6 **a** vada; **b** prenda; **c** metta; **d** prenda; **e** eviti; **f** faccia
1 a; **2** b/d/e; **3** f; **4** b/c; **5** b/d/e; **6** c

7 **Soluzione possibile: 2** *febbre* – Prenda delle pastiglie./Resti a letto.; **3** mal di schiena – Prenda delle pastiglie./Metta della crema.; **4** mal di pancia – Non prenda freddo./Prenda delle gocce.

8
- ● Buongiorno signora, **si accomodi**.
- ◆ Buongiorno, dottore.
- ● Mi **dica**.
- ◆ Da ieri mi fa male l'occhio sinistro.
- ● Ha preso freddo?
- ◆ Sì, quando sono uscita dall'acqua dopo il bagno c'era molto vento.
- ● Allora **usi** questo collirio 2 volte al giorno per 3 giorni.
- ◆ Posso andare in spiaggia?
- ● No, non **ci vada** per qualche giorno.
- ◆ Peccato! Resto al mare solo una settimana...
- ● Mi dispiace, signora, ma il sole non Le fa bene. **Porti** sempre gli occhiali da sole. Non li **dimentichi** mai!

9 **2** Non dia; **3** Non prenda; **4** non continui; **5** non ripeta

10 **1** falso; **2** vero; **3** falso; **4** vero

11 **2** le chiuda; **3** Lo prenda, resti, si muova; **4** Compri, la metta; **5** le scopra; **6** lo legga

12
- ▸ Signora, **venga**!
- ○ Io sono arrivato prima.
- ▸ Sì, ma **non importa**: Lei è un codice bianco, il **meno urgente**. Il bambino è un codice verde. **Abbia pazienza**!
- ■ Buongiorno, signora. Ciao!
- ● Buongiorno.
- ■ Allora, vediamo questa **puntura di vespa**. È già successo altre volte?
- ● Sì, una volta, ma **è passato subito**. L'irritazione non era così forte.
- ■ E il bambino ha **qualche allergia**?
- ● No, non mi risulta.
- ■ Ha altri problemi di salute, **prende dei farmaci**?
- ● No, è un **bambino sano**, non prende farmaci.
- ■ ... Non ha problemi di respirazione. Bene. Allora, signora, **non si preoccupi**: non ci sono sintomi di allergia. **Compri queste gocce** e le dia al bambino tre volte al giorno, **per bocca**. ... E tu **stai tranquillo**, passa subito, sai?
- ● Grazie. Arrivederci.
- ■ Arrivederci.

Lezione 7

1 **Soluzione possibile: 2** Andate nella vostra officina per controllare luci e freni.; **3** Fissate molto bene i bagagli.; **4** Fermatevi a riposare.

2 **2** Non bevete alcolici.; **3** Controllate i tergicristalli.; **4** Fissate bene i carichi esterni.; **5** Programmate il viaggio nei dettagli.; **6** Consultate il sito www.autostrade.it.; **7** Non ostacolate l'arrivo dei soccorsi.

3 **1** volante; **2** cofano; **3** sportello; **4** bagagliaio; **5** parabrezza; **Soluzione:** targa

4 **1** *A4 tra* Milano *e* Brescia: traffico intenso/coda.; **2** *Tangenziale di Roma: Roma est*, uscita chiusa per lavori in corso.; **3** *A22 tra* Verona *e* Bolzano: obbligo di catene e ghiaccio.; **4** *A7 tra* Milano *e* Genova: coda per incidente.; **5** *A19 tra* Palermo *e* Catania: vento.

5 **Soluzione possibile:**

Poliziotto: *Buongiorno, mi dica.*
Signor Belli: *Buongiorno. Vorrei denunciare* lo smarrimento di un portafoglio da uomo.
Poliziotto: Di che colore e di che forma?
Signor Belli: Nero, rettangolare.
Poliziotto: Che cosa c'era dentro?
Signor Belli: La carta d'identità, la patente, la carta di credito...
Poliziotto: Anche dei soldi?
Signor Belli: Sì, c'erano circa 200 euro.
Poliziotto: Dove ha smarrito il portafoglio?
Signor Belli: Alla stazione di servizio Vesuvio Nord, al parcheggio.
Poliziotto: Quando l'ha smarrito?
Signor Belli: Oggi verso le 15.
Poliziotto: 28 agosto, ore 15. Va bene.

6 **orizzontali: 5** triangolare
verticali: 1 quadrato; **2** rettangolare; **3** tonda; **4** ovale

7 **andare**: vai/va', vada; **essere**: sii, sia; **avere**: abbi, abbia; **fare**: fai/fa', faccia; **dare**: dai/da', dia; **dire**: di', dica

8 **2 b** Se hai documenti o oggetti di valore **non lasciarli in evidenza in macchina**.; **3 c** Se hai soldi, **non portarli** in tasche esterne.; **4 e** Se hai il portafoglio nella giacca, **non dimenticarlo** in tasca quando la appendi.; **5 a** Se c'è un incidente, **non fermarti** a guardare.; **6 f** Se posteggi la macchina, **non chiudere** la borsa o la valigia nel bagagliaio.

9 *fermati*; riposati; Cerca; posteggia; esci; Esegui; Chiudi; gira; Ruota; inarca; Alza; mantieni; ruota; Togliti; fa'/fai

10 Vai/Va'; Evita; prendi; esci; vai/va'; rilassati; abbi; Attraversa; prosegui; Sappi; prenota; Fai/Fa'; sali; Visita; non dimenticare

11 **1** falso; **2** vero; **3** vero; **4** vero

12 ◇ **Va bene. Uno zaino... di che tipo? Grande o piccolo?**
■ Piccolo, rosso.
◇ **E di che marca?**
■ Eh, non lo so, non mi ricordo...
◇ **Che cosa c'era dentro?**
■ Mah... Una macchina fotografica, un portafoglio con i soldi, i miei documenti, una bottiglia di acqua minerale e una mela nelle tasche esterne ... e basta, mi pare.
◆ No, anche la guida turistica.
■ Ah!
◇ **Ok, e nient'altro?**
◆ No, mi sembra di no.
◇ **Allora, guardi, scriva qui i suoi dati, per favore: nome, cognome, indirizzo, e non dimentichi il numero di telefono, mi raccomando.**
■ Sì.
◇ **Va bene. Se qualcuno ci consegna lo zaino, noi vi chiamiamo.**

Lezione 8

1 **Soluzione possibile: 1** vere e sicure.; **2** un giornale che esce ogni giorno.; **3** una notizia modificata.; **4** un modo personale di vedere un fatto.; **5** fatto di carta.

2 **1** migliore; **2** meglio; **3** migliori; **4** migliore; **5** meglio

3 **1 c** Il treno Eurostar è più veloce **del** treno regionale.; **2 a** Da ragazzo preferivo suonare musica rock **che** ascoltare musica classica.; **3 e** Preparare la *panzanella* è più semplice **che** cucinare le lasagne.; **4 b** Il prezzemolo è un ingrediente più usato **dello** zafferano.; **5 f** È meglio viaggiare di giorno **che** di notte.; **6 d** Il cappotto è più caldo **della** giacca.

4 Secondo me; interattive; però; purtroppo; obiettivo; attendibili; aggiornato; approfondite; Per me

5 **Soluzione possibile**: **2** *Paolo, Giacomo e Federico* suoneranno in un concerto. **3** *Carlotta e Pietro* prenderanno un aperitivo insieme. **4** *Serena* preparerà un'insalata. **5** *Stella* farà la spesa.

6 *Domani Roberta* **si sveglierà** alle 7 e **andrà** a scuola alle 8. Alle 13 **finirà** le lezioni. Il pomeriggio **farà** i compiti e **uscirà** con le amiche. La sera **leggerà** un libro e **starà** sveglia fino a tardi.

7 **2** *Marzia* **farà** un viaggio in Australia.; **3** *Enrico* **studierà** il giapponese.; **4** *Beppe e Michela* **vivranno** a New York.; **5** *Stefano, Raimondo e Simone* **vedranno** tutta l'Europa in un'estate.; **6** *Sandra* **rimarrà** in contatto con le amiche del liceo.

9 **1** a, c; **2** c; **3** b

10 **Soluzione possibile**: **2** La radio **sta dando** informazioni sul traffico.; **3** Il telegiornale **sta approfondendo** alcune informazioni.; **4** La campagna pubblicitaria **sta difendendo** i giornali su carta.; **5** Il sondaggio **sta analizzando** l'opinione sulle nuove tecnologie.; **6** I responsabili del sito **stanno facendo** ipotesi sul futuro della stampa.

11 **1** falso; **2** falso; **3** vero; **4** vero

12
- ◆ Pronto?
- ● Buongiorno, signora. Sono una studentessa della facoltà di Scienze delle comunicazioni e sto scrivendo la tesi, quindi avrei bisogno di intervistare un po' di persone. **Avrebbe un po' di tempo per rispondere a qualche domanda** sul tema "Come vi informate"?
- ◆ Sì, beh, se non dura troppo...
- ● **No, no, solo pochi minuti.**
- ◆ Mi dica, allora.
- ● **Dunque, quale mezzo preferisce Lei per informarsi?**
- ◆ Beh, io in genere leggo il giornale...
- ● **Legge il giornale cartaceo o quello on line?**
- ◆ Mah, in genere preferisco leggere quello cartaceo. Non leggo tutto, ovviamente, leggo solo gli articoli che mi interessano di più. Se non ho tempo di comprare il giornale, allora do un'occhiata al quotidiano on line.
- ● **E... Lei ascolta la radio?**
- ◆ Sì, di solito la mattina o quando cucino. È un mezzo piacevole, pratico, secondo me.
- ● **Bene. E che cosa ne pensa della televisione?**
- ◆ Bah, guardo poco la tv. La uso raramente per informarmi. Preferisco, come ho detto, giornale e radio.

Lezione 9

1 **1** bed and breakfast; **2** appartamento; **3** pensione; **4** campeggio; **5** villaggio turistico; **6** agriturismo; **7** ostello

2 **Soluzione possibile:**
Egregio sig. Verdini,
siamo tre coppie di amici con un cane e cerchiamo per le prime tre settimane di agosto un appartamento vicino a Rimini. Desidereremmo abitare vicino al mare, al massimo a 500 metri, e avere

negozi vicini. Non vorremmo spendere più di 900 euro a settimana.
Cordiali saluti

3 **Soluzione possibile**: **2** Con il congelatore si congela il cibo.; **3** Con il forno si preparano le torte.; **4** Con il riscaldamento si scalda la casa.; **5** Con la lavastoviglie si lavano i piatti.; **6** Con il piano cottura si cuociono gli alimenti.

4 **1** giardino – accessori e servizi; **2** terrazza – locali; **3** piano terra – tipo di alloggio/abitazione

5 **2** No, le ho trovate su una rivista.; **3** No, non l'ho ancora chiamato.; **4** No, le abbiamo passate in Sicilia.; **5** No, li abbiamo presi all'ufficio informazioni.; **6** No, non l'ho incontrata.

6 **Soluzione possibile: 1** Posso portare anche il cane?; **2** La casa ha il giardino?; **3** La biancheria è compresa nel prezzo?; **4** A che distanza è la stazione?; **5** La cucina è grande?; **6** Quanto costa l'appartamento a settimana?; **7** Quanto ci vuole per andare in spiaggia?

7 **Soluzione possibile: 1** *In cucina ci sono* un tavolo con 4 sedie, un frigorifero, un piano cottura con 4 fuochi e degli scaffali. **2** *In camera da letto c'è* un letto matrimoniale e vicino c'è un armadio. **3** *In soggiorno ci sono* un divano, degli scaffali, una poltrona e una lampada.

8 ☺ Che panorama! Che meraviglia! Che vista! Che bello! Che mare!
☹ Che brutto! Che piccolo! Che stretto! Che peccato! Che rumoroso!

9 **1** a, b, c; **2** a; **3** b

10 **quel:** tavolo, lettino, divano; **quello:** specchio; **quella:** lampada, sedia; **quell':** armadio, albergo, agenzia, agriturismo; **quei:** servizi; **quegli:** ostelli, asciugamani, accessori; **quelle:** poltrone, lenzuola

11 **Soluzione possibile: 2** bel tavolo/bel divano/bell'armadio; **3** begli accessori/begli alberghi; **4** belle poltrone; **5** bell'albergo/bell'agriturismo; **6** bell'albergo/bell'agriturismo

12 **1** vero; **2** falso; **3** vero; **4** falso

13
◆ Eccoci qua.
■ Eh, però, che stretta questa strada!
◆ Sì, in effetti la strada di accesso è stretta, è vero... però la posizione della casa è molto tranquilla.
● Sì, tranquillissima, guarda! E anche soleggiata, nonostante tutti questi alberi. Che bello! Mi piace proprio. E l'appartamento qual è?
◆ È questo, guardi. Ecco, si entra di qui. È un monolocale, quindi qui abbiamo la stanza che serve da camera da letto e da soggiorno... spaziosa, luminosa,

con tavolo, armadio, libreria con cassetti...
■ Accogliente, sì.
◆ E di qui si passa in cucina. E poi qui c'è il bagno con doccia...
● Senta, la biancheria viene fornita? È compresa nel prezzo?
◆ Allora, lenzuola e asciugamani vengono forniti, ma non sono compresi nel prezzo. Si pagano extra, sul posto. Sono 5 euro a persona.

Lezione 10

1 **a Soluzione possibile: 1** Buon Natale!; **2** Buon compleanno!; **3** Buon viaggio!; **4** Buon appetito!
b Soluzione possibile: Buon anno!/Buon divertimento!

2 ho conosciuto; ho saputo; conoscevo; Sapevi; Ho saputo; Hai conosciuto

3 1 gennaio: capodanno; 6 gennaio: Epifania
25 aprile: Anniversario della Liberazione
1° maggio: Festa del Lavoro
2 giugno: Festa della Repubblica
15 agosto: Ferragosto
1 novembre: Ognissanti
8 dicembre: Immacolata Concezione; 25 dicembre: Natale; 26 dicembre: Santo Stefano; 31 dicembre: San Silvestro

4 **1** b, c; **2** b, c; **3** a

5 **Soluzione possibile: 1** ☺ Sì, d'accordo. A che ora ci vediamo e dove? ☹ No, mi dispiace, purtroppo non posso.; **2** ☺ Per me va bene. Come andiamo? ☹ Questa domenica non posso, mi dispiace. Perché non ci andiamo la prossima?

6 **1** c; **2** e; **3** d; **4** f; **5** a; **6** b

7 **1** è ... cominciato, è ... finito; **2** Ho cominciato; **3** Ho finito; **4** è cominciata; **5** è finito; **6** Hanno cominciato

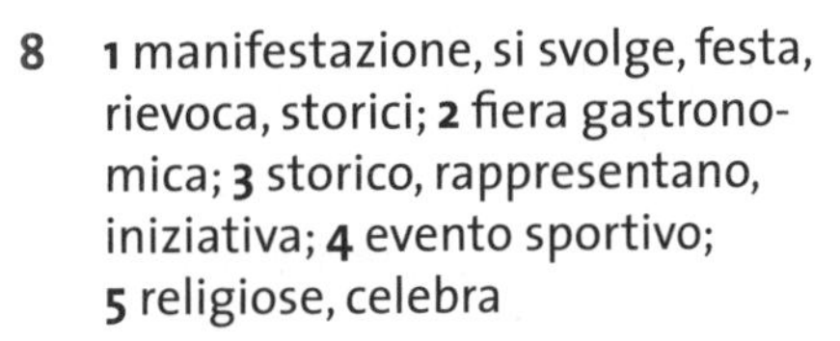

8 **1** manifestazione, si svolge, festa, rievoca, storici; **2** fiera gastronomica; **3** storico, rappresentano, iniziativa; **4** evento sportivo; **5** religiose, celebra

9 **Soluzione possibile: di cotone:** camicia, t-shirt, pantaloni, gonna, camicetta, vestito; **di lana:** pantaloni, gonna, cappotto, guanti, sciarpa, maglione, giacca; **di pelle:** scarpe, stivali, sandali, guanti, cintura, borsa; **d'oro:** orecchini, collana, braccialetto

10 **a Soluzione possibile:**

Cliente:	***Vorrei*** **provare quella camicetta gialla.**
Commessa:	**Sì, subito. Che taglia?**
Cliente:	**La 44.**
Commessa:	Ecco a Lei.
Cliente:	**La camicetta è di cotone?**
Commessa:	Sì, sì, certamente.
Cliente:	**Come mi sta?**
Commessa:	**Le sta benissimo.**

b Soluzione possibile:

Cliente:	***Vorrei*** **provare quelle scarpe blu.**
Commessa:	**Sì, subito. Che numero?**
Cliente:	**42.**
Commessa:	Ecco a Lei.
Cliente:	**Sono di vera pelle?**
Commessa:	Sì, sì, certamente.
Cliente:	**Come mi stanno?**
Commessa:	**Benissimo.**

11 **1** falso; **2** falso; **3** vero; **4** falso

12
▷ Bello, proprio bello qui! E molto carine le tue creazioni! Senti, consigliami qualcosa, dai!
◆ **Beh... abbiamo collane, orecchini, braccialetti, anelli... Per esempio, questi orecchini... che ne dici? Ti starebbero bene...**
▷ Carini, sì, però... non so... E invece questo braccialetto mi piace molto. Oppure quello là. Ehm, posso provarli tutti e due? Sono d'argento?
◆ **No, no, è bigiotteria. Ecco.**
▷ Belli! Come mi stanno?
◆ **Eh, bene.**
▷ E quanto vengono?
◆ **Questo viene 15 euro e questo 25.**
▷ Mmm, tu cosa dici: quale prendo?
■ **Mah... Non so... Secondo me ti sta meglio questo.**
▷ Mmm, io invece... preferisco questo. Sì, prendo questo.
◆ **Va bene.**
■ **Che ti avevo detto?**
▷ Eh... che ci posso fare...

Appunti

Appunti

Indice delle fonti

Pagina 7: *evidenziatore* © fotolia/Ekkehard Stein, *quaderno* © fotolia/M. Jenkins, *lavagna* © iStockphoto/Snapphoto, *matita* © irisblende.de, *gesso* © fotolia/Marc Dietrich, *penna* © fotolia/D. Fabri, *pennarello* © iStockphoto/DNY59, *gomma* © fotolia/Sebastien Montier | **Pagina 30:** © fotolia/Jan Rose | **Pagina 38:** © iStockphoto/Cat London | **Pagina 57:** © MHV | **Pagina 65:** *lampadario* © panthermedia/Rafael Angel I., *termosifone* © fotolia/Red Rice Media, *condizionatore* © fotolia/Rtimages | **Pagina 69:** *divano* © iStockphoto/Justin Allfree, *armadio* © fotolia/Andreas Reimann, *lampada* © fotolia/ChinKS | **Pagina 74:** © Cinzia Cordera Alberti, Monaco di Baviera

Contenuto del CD audio

Il CD audio allegato contiene tutte le registrazioni relative alla sezione *Ancora più ascolto*.
Durata complessiva: 27'40".